D0801171

UNE AURORE BORÉALE

JACQUES FOLCH-RIBAS

UNE AURORE BORÉALE

roman

ÉDITIONS ROBERT LAFFONT
PARIS

© 1974 Robert Laffont

© 1982 (Pour l'édition de poche), Seuil

ISBN 2-02-006323-9

Dépôt légal, 4e trimestre 1982,
Bibliothèque nationale du Québec

Les braves gens ne savent pas ce qu'il en coûte de temps et de peine pour apprendre à lire. J'ai travaillé à cela quatre-vingts ans, et je ne peux pas dire encore que j'y sois arrivé.

GOETHE *(Conversations)*.

Tout, au monde, existe pour aboutir à un livre.

MALLARMÉ *(Quant au livre)*.

I

Il y avait une fois un homme qui se nommait Pierre, et qu'on appelait le Rouge. Les rares personnes qui l'avaient rencontré disaient qu'il était à demi indien.

Ses cheveux roux, sur une peau très claire, auraient pu lui valoir ce surnom. Et puis, il était imberbe. Ces traits réunis, la sauvagerie de son existence de solitaire dans une méchante cabane de rondins adossée à la forêt et plantée face au large du Golfe, la maîtrise qu'on lui connaissait de la pêche et de la chasse, tout cela poussait aux simplifications. A la Baie-des-Epaulards – les cartes désignent ainsi : Orcs Bay, cette région de rochers, de sables, de bois, et le seul misérable village qui s'y trouve — l'on est volontiers abusif, et si nul ne savait précisément d'où venait ce Pierre, chacun s'était vite accommodé d'une histoire faite de bribes que l'on se répétait avec indifférence : un homme blanc, jadis, était venu d'ailleurs, disait-on, du sud peut-être. Il y avait une très jeune femme avec lui, qui avait les traits d'une Indienne. Ils s'étaient construit une cabane au bord des vagues, presque au bout de la Baie, derrière un petit bois. Certains disaient que la cabane avait toujours été là, de mémoire d'homme, et qu'ils n'avaient fait que la remettre d'aplomb. Ils y avaient vécu longtemps, n'allant presque jamais au village ; et un jour, Pierre était né. C'est ce qu'on disait, à Orcs Bay.

L'Amérique se termine, à cet endroit, par une presqu'île montagneuse. Un croissant presque inhabité, couvert de forêts et de *savanes,* ces terres indécises et humides où se mêlent les hautes herbes et les arbres rabougris. Tout un pays pourrait s'y étaler : des villes, des routes, de longues vallées prospères, mille villages blancs ; le long de la côte, abrupte, mille anses et mille plages qu'il faudrait une vie pour toutes connaître. Mais ce n'est pas ainsi. C'est l'extrémité d'un monde, à peine atteinte par les hommes, et il n'y a presque rien d'autre que la nature : la forêt partout semblable, infinie, que crèvent les lacs aux myriades d'oiseaux et les torrents qui s'écroulent en rapides entre le désordre des rocs ; les pentes nues des hautes prairies qui vaguent sous les vents chauds, l'été, tandis que l'ombre des nuages les balaie, et qui l'hiver sifflent à l'infini sous les tempêtes de neige ; quelques petites villes, quelques villages de planches, quelques fermes pauvres ; au bord des eaux, parfois, un quai court, écrasé de billots de bois entassés qui attendent la goélette. La route qui relie tout cela semble un interminable cordon dont on ne sait où il commence, ni où il finit.

A l'extrémité de ce pays extrême, lorsque le Golfe soudain s'incurve vers l'est et que la rive opposée déjà ne se peut plus distinguer malgré ses hautes montagnes, des baies se dessinent, côte à côte, et se tournent vers les Iles. C'est le Bas-du-Fleuve, le pays où les soleils se couchent en feu. Et là, derrière une échine presque infranchissable de la montagne, face au nord, c'est la Baie-des-Epaulards, cette région que la terre voue au grand large du

Golfe en l'isolant des mouvements du continent. La route y pénètre cauteleusement, en y jetant un filet de terre et de gravier qui coule en méandres sur les pentes boisées, atteint les maisons des pêcheurs, glisse devant une église et s'arrête étourdi, bêtement, au bord du cimetière, face aux marées.

Les gens de la Baie disaient aussi que les parents du Rouge avaient péri, tous deux le même jour, quelque part dans le Golfe. Poursuivant un loup-marin, peut-être, du côté des Iles-aux-ours. Ils devaient s'être enfoncés soudain dans la glace trop vieille, amaigrie, d'avant la débâcle du printemps.

Ils partaient ainsi tous deux, chaque année, sur la Baie encore gelée. Ils n'avaient jamais voulu emmener Pierre. « C'est trop dangereux ; trois, c'est trop lourd, disait sa mère, et c'est un pays très grand, de l'autre côté... Là d'où je suis, c'est sans fin. » On préparait le traîneau avec quelques vivres, du sel, des armes, des vêtements. On laissait à Pierre une carabine et tout ce qu'il lui fallait pour attendre ses parents durant plusieurs jours. Ils partaient, avec le chien. Au retour, le traîneau était plein de fourrures, et de viande et de poisson congelés.

Mais cette fois-là, les parents n'étaient pas revenus. Les jours passaient, Pierre se tenait parfois au bord du chaos de glace, il se faisait mal aux yeux de regarder au loin, pendant des heures, jusqu'à ce qu'il ne vît plus rien. Gelé, il rentrait dans la cabane, se préparait une soupe, se couchait. Le lendemain, il recommençait.

C'est un vendeur ambulant, qu'on appelait le Voyageur, et qui venait à la cabane une fois ou deux pendant l'hiver, lors de ses passages par la Baie, qui l'avait tiré de cette sorte de léthargie. Pierre entendit la camionnette klaxonner, de l'autre côté du bois. Il se leva de son lit, sortit de la cabane. Le vendeur, ne voyant venir personne comme à l'habitude, finit par apparaître, et se mit à poser des questions. Il hochait la tête : « Peut-être qu'ils reviendront. Combien dis-tu qu'il y a de jours ? Tu ne sais plus. Hum... Ils ne reviendront pas. Peuvent pas. Pas possible. La glace se détache, tout le temps. On n'a pas idée d'essayer de passer ! Je vais faire le tour de ta cabane. Je vais te dire ce qu'il te faut, je vais te le vendre. As-tu de l'argent ? Ou alors des fourrures, comme ton père. On y va ? Tu es assez grand pour te débrouiller : un homme !... Attends. Viens voir avec moi ! »

Il avait emporté des peaux, il avait laissé des balles, de la nourriture. On n'avait plus jamais revu les parents de Pierre. On ne savait pas. Tout s'était passé si loin. Que s'était-il passé ?

Ce golfe est traître. Cette baie, trompeuse. C'est un lieu incertain que le Bas-du-Fleuve, où l'eau hésite entre la douceur et le sel.

Certains jours, c'est un fleuve, vraiment ; démesuré, qui charrie de monstrueuses eaux encore douces, et des glaces, vers le large. On ne voit rien de la rive opposée, à travers les bourrasques de neige et de pluie. C'est à peine si une ombre de vert sombre, loin, au large, indique la présence des Iles-aux-Ours, noyées par le blanc sale du ciel. Peu à peu, la glace s'immobilise en banquises étranges, à perte de vue se soudent des blocs, au hasard, et se créent mille rivières lentes qui s'emmêlent. Alors Pierre s'en va chasser aux rives de la Baie : le lapin blanc, le renard, le rat musqué, la marmotte ; ou plus loin, même, sur la glace, et parfois jusqu'aux Iles qu'il faut quatre heures de bonne marche pour atteindre en hésitant. De là, on voit la muraille noire, l'autre rive, la terre qui n'a pas de fin. La terre de ma mère Nod.

D'autres fois, le Golfe est une mer. Il fait chaud, alors, et le vent ne cesse de siffler. De profondes houles vont à l'assaut de la terre, qui les teinte de bistre au soleil de l'été. Ou bien l'étale des jours calmes fait une eau plane où roulent les ventres blancs des marsouins, sous la chaleur et les brumes. L'air sent le sel et le varech, et Pierre prépare ses pêches. Deux fois par jour, à la basse marée, il longe son barrage de fascines jusqu'au goulet de l'extrémité, qui baigne encore dans l'eau. Lentement, il vide le parc : des harengs, de la sardine, parfois un esturgeon, et souvent des loches, gluantes. Autour de Pierre, les mouettes et les goélands, affolés, passent et le couvrent de cris et d'excréments.

En ce temps-là, les saisons de Pierre se succédaient sans heurt. Il y avait longtemps, plusieurs années, qu'il ne pensait même plus à ceux du village, dont l'existence l'avait jadis intrigué. L'écho des mouvements du monde lui parvenait par un minuscule poste de radio, dont le Voyageur renouvelait les piles, et Pierre ainsi savait beaucoup de choses. Il en comprenait quelques-unes, d'autres l'intriguaient beaucoup. Mais il n'avait pas envie d'aller les vérifier, parce que les hommes lui faisaient un peu peur. Une crainte sourde, comme lui en donnait tout ce qu'il ne comprenait pas, et que son unique visite au village de la Baie n'avait que mieux établie.

Cette seule fois où il avait quitté son trou de solitaire, c'était à propos de sa carabine. Et il s'en souvenait bien. Le Voyageur ne savait pas réparer les carabines : « et je pourrais t'en apporter une neuve. Mais ce serait trop cher ». Il avait fouillé sa camionnette, il avait dit qu'il n'avait pas de pièce comme celle que Pierre lui montrait : le chien. Il avait ajouté : « Si tu veux, le Rouge, je t'emmène au village, et je te ramène ce soir. Profite de la voiture, je suis dans un bon jour ! Tu me donneras une martre, voilà tout. » Il avait ri, aussi. Pierre avait besoin de la carabine, même s'il ne s'en servait que rarement, et sans jamais perdre un coup. Il y avait également l'attrait de ce mystérieux village d'Orcs Bay... Il accepta.

Passé le mauvais chemin du bord de la forêt, on monte sur la route de terre, qui coupe à travers la savane où le vent martyrise quelques sapins noirs, isolés, décharnés. Pierre se crispait, les voyait défiler et ne les reconnaissait plus. Il regardait aussi la main du Voyageur, qui remuait en tous sens cette barre de fer terminée par une boule noire, entre lui et Pierre. La voiture faisait un bruit infernal, tressautait, balayait le chemin de droite et de gauche, continuellement. On atteignit le village, après force détours, un pont de ciment triste et de longues prairies où paissaient des moutons crottés. Une rue longue, que Pierre trouva grouillante. On arrêta devant un magasin constellé de couleurs, et le Voyageur entraîna Pierre devant un long comptoir. Un vieil homme prit la carabine, l'examina, s'en alla derrière une porte. Pierre regarda tout ce que contenait le magasin : il y avait beaucoup de choses, dont certaines lui étaient inconnues, et tout sentait mauvais : d'âcres odeurs mêlées, qui prenaient à la gorge. Le vieil homme revint, avec la carabine, et Pierre vérifia le chien : il était bon, et solide. Il paya ce qu'on lui dit de payer.

Ensuite, le Voyageur lui conseilla d'attendre. Il repasserait dans l'après-midi : « Tu peux aller manger en face, si tu as faim. On te vendra ce que tu voudras. Eh oui, c'est bien lui, c'est le Rouge », dit-il à des hommes qui entraient dans le magasin. Et il partit.

Pierre sortit, sa carabine sous le bras. Des gens l'observaient. Il se mit en marche, alla un peu plus loin, mais il pensa qu'il valait mieux ne pas trop s'éloigner du magasin, de peur de ne plus le retrouver, l'après-midi. Il regardait soigneusement dans toutes les directions. Trop de choses se ressemblaient, et il y avait trop de choses ; les sens de Pierre se brouillaient un peu. Des enfants accoururent, autour de lui. Il dit quelques mots, mais ils riaient, lui criant des bêtises, lui tirant la langue, puis se sauvant, effrayés peut-être de leur audace, et de la carabine. Une femme vêtue de bleu sortit d'une porte, alla chercher l'un des enfants, le gifla, le fit disparaître à grands cris dans une maison.

Pierre marcha un peu plus loin. Il s'assit par terre, dans l'herbe. Mais au bout d'un instant, il aperçut un vieil homme qui fumait, sous un porche de bois, et qui le regardait fixement. Pierre se leva, s'éloigna encore. Il cherchait quelques arbres, quelques taillis : ils étaient loin. Une voiture approchait, elle s'arrêta près de lui. Le policier se pencha, le reconnut, fit un signe en levant la tête, se remit au volant, et démarra sans dire un mot.

Pierre allait, regardant tout. Il atteignit ce qui semblait être la fin de cette longue rue. Des champs clôturés de bois argenté commençaient à cet endroit. Il s'arrêta, et s'assit près d'un pieu auquel il s'adossa. Il attendit. Le village ne l'intéressait plus, soudain. Le temps durait, durait. Un peu plus tard, de peur de rester là, abandonné, il reprit le chemin du magasin.

Enfin le Voyageur apparut. Il lui ouvrit la portière de sa camionnette, sans même descendre ; on repartit en cahotant. Le Voyageur chantonnait, il était ivre, il riait, il sentait la bière. Près de la cabane, au bout du chemin, il attendit que Pierre revînt, avec la martre, et la jeta près de lui sur le siège, avant de s'en retourner.

C'est tout ce que Pierre connut du village. Cette nuit-là, il ne dormit presque pas. De tout ce qu'il avait vu, et d'énervement, qui lentement passa et disparut le matin venu, après qu'eurent commencé les cris des corbeaux et des corneilles, et que le soleil déjà eut atteint la base des troncs.

Il y avait quelques années de cela. Pierre

s'en souvenait bien, et le village de la Baie avait quitté sa curiosité : il ne ressemblait à rien de ce que le poste de radio laissait imaginer du reste du monde. Pierre réfléchissait. Un vague mystère, celui de naguère, faisait lentement place au désir, violent parfois, de savoir une chose précise, à laquelle il pensait longtemps; de rencontrer une personne qu'il imaginait, et de lui parler. Durant l'automne et l'hiver, Pierre y songeait peu : ses travaux, ses chasses, le besoin de survivre prenaient le pas et ne lui laissaient presque aucun repos. Mais dès les beaux jours revenait en lui le goût de parler et d'aller à la découverte.

Aux premiers mouvements du printemps, Pierre construisait son barrage de pêche, et chaque marée basse le trouvait au goulet de l'extrémité, ramassant le poisson. Pendant que montait l'eau, il allait en forêt poser des collets et des pièges, avec une branche tendue par un système que lui avait appris son père et qui, l'animal pris, la faisait se relever pour garder le gibier pendu, loin d'atteinte. Ou bien, il se postait dans l'un de ses affûts. Il avait rarement besoin de sa carabine. Il savait tuer tout ce qu'il guettait, à l'aide d'un bâton, d'un couteau, et surtout d'un long fouet —

encore une façon que lui avait montrée son père.

Après, il mettait dans un sac fait d'écorces de bouleau, une sorte de gibecière pendue à une tresse de corde qu'il passait autour de son épaule, sa pêche ou sa chasse de la veille, des fourrures lorsqu'il en avait, toutes les trouvailles ou les prises qui lui semblaient vendables, et il partait à la rencontre des estivants. Les villageois de la Baie-des-Epaulards ne l'intéressaient plus ; mais les étrangers, ceux qui venaient du monde extérieur, de ce monde dont parlait la radio, l'attiraient.

Il y avait, loin des bois mêlés où nichait Pierre, passé la prairie et les longs et gluants estrans, ces rivages que les pêcheurs nomment des battures et qu'emplit le varech, une langue de terre et de rocs lancée vers la mer, couverte d'arbres, qu'on appelait le Cap. Un chemin la parcourait dans toute sa longueur, desservant de grandes maisons de planches, à demi enfouies sous les branches. L'hiver, le Cap était mort, sous la haute neige, et presque inaccessible. Au printemps, les unes après les autres, les maisons s'ouvraient à l'arrivée des estivants. Des voitures rutilantes, d'autres très vieilles ; des enfants qui criaient, jouaient,

pleuraient; les cheminées qui fumaient, jour
et nuit. On voyait à tout moment passer des
gens qui se rendaient visite ou qui allaient au
village chercher des provisions. Le long de
l'eau, des hommes pêchaient avec des cannes
compliquées. Un bateau à moteur se prome-
nait parfois sur le Golfe. Des femmes éten-
daient du linge, au soleil, le long de cordes
entre deux arbres. On sciait du bois, on
clouait, on réparait les maisons. Toute une vie
grouillait, au ras de terre. Les grands pins
noirs recouvraient cela, et à leurs pointes se
réfugiaient les corbeaux et les goélands gris.

Pierre longeait le chemin du Cap. Il passait
devant les maisons, attendant que quelqu'un
l'aperçoive. Il n'entrait jamais dans une propriété, même si aucune haie ou aucune clôture ne la fermait. Si on ne l'appelait pas, il
passait. A regret, non pas d'une vente perdue
mais d'une curiosité qu'il n'avait pu satisfaire.
Si quelqu'un lui parlait, il répondait en sou-
riant; il prédisait le temps qu'il pourrait faire,
il s'attardait, ouvrait son sac, montrait ses
prises.

Le Cap parcouru, Pierre revenait à sa
cabane. Il songeait à ce qu'il avait vu, il le
repassait soigneusement dans sa mémoire, et

s'il avait rencontré quelqu'un sur le chemin du retour, on apprenait partout que le Rouge parlait tout seul en marchant, comme un imbécile, et que ce devait être la solitude qui lui avait tourné la tête.

Un matin, Pierre tua un canard, et prit quelques harengs. C'était la grande marée de mai, les canetons ne s'enfuyaient encore que péniblement, c'était facile. Le Golfe sentait la morue et le sel. Mais la pêche était mauvaise, le goulet presque vide. Il décida tout de même d'aller au Cap.

Il enveloppa ses prises dans un chiffon, se ravisa : on lui avait dit, une fois, que sa chasse sentait le poisson. Il fit deux paquets, qu'il mit dans son sac.

Sous bois, les sapins verdissaient. Au bout de chacune de leurs branches étaient nées trois branchettes, bien écartées déjà, dressées un peu, les aiguilles plus claires que leurs voisines de l'an passé, et qui sentaient fort. Pierre se dit que la chaleur ne tarderait pas : c'était toujours ainsi, la senteur âcre des pousses, et l'été venait ; alors, leur couleur se faisait plus foncée, et on ne les distinguait bientôt plus.

Après le sous-bois, c'était la savane. Pierre

la traversa dans toute sa largeur. Les ciguës lui venaient à l'épaule, en bouquets. Il atteignit les battures, ces basses terres que les marées couvrent et découvrent. Il savait où serait l'eau, au plus bas, et qu'il pourrait passer là, et gagner beaucoup de pas.

Un crabe essayait de fuir. Pierre le prit, lui enleva les pattes, défit le paquet contenant les harengs et l'y mit. Plus loin, il désabla quelques palourdes, qu'il voyait cracher leur bulle dans le sable. Son sac se remplissait, et le temps passait. Il atteignit enfin le Cap, et se mit à grimper.

En haut, il y a le chemin de gravillons. On voit à peine les maisons des estivants, au fond de quelques éclaircies. Pierre se mit à suivre un fossé, pour ne pas abîmer ses vieux mocassins sur les pierres coupantes. Beaucoup de fenêtres et de portes étaient encore recouvertes de panneaux de planches, il n'y avait personne, Pierre passait. Mais parfois, c'était ouvert, des gens prenaient le soleil, un chien aboyait.

On l'appela, deux fois. Il montra son sac. La seconde fois, une femme prit le canard, alla parler à quelqu'un dans la maison grise, celle dont la cheminée fuit, au ras du toit, et revint avec un dollar. Elle dit : « Au revoir, le Rouge. A demain, peut-être ? Si vous en aviez un autre, je le prendrais aussi.

— Je viendrai, je viendrai, dit Pierre. Mais alors, je ne pourrai plus aller à la roche plate. Au moins un mois, vous comprenez ? » La femme pouffa : « Qu'est-ce qu'il raconte. Toujours aussi fou ! Au revoir, au revoir ! »

Il repartit. Si je lui en assomme un autre, de ses canetons, la mère va se méfier de la roche plate, celle devant la cabane, et elle ne reviendra plus, comme chaque matin, avec ses petits. Il faudrait aller au bout des rochers, dans les blés d'eau, et au fouet. Il avait vu faire son père. Il s'était risqué, et avait réussi : on reste bien immobile, puis un bon coup du poignet, au bon moment, quand le cuir du fouet touche : la tête du canard saute, coupée net.

Pierre passa devant toutes les autres maisons. Certaines étaient comme mortes, au fond d'allées ombreuses. D'autres, plus près du chemin, laissaient entendre des musiques, ou des voix. Une femme le salua de la main. Il atteignit le bout du Cap. Il ne restait que la maison blanche, celle où une clôture, blanche aussi, est toujours ouverte, de guingois. Je mangerai les harengs, si personne n'en veut.

Il avait mal à un pied, et s'arrêta près de la clôture pour chercher ce qui le piquait, au fond de son mocassin. Là, il vit Marie, qui le regardait.

Elle était secouée de petits sanglots, qu'elle tentait de dissimuler tout en observant Pierre. Il voulait lui sourire, mais il était trop occupé à essayer d'apercevoir ce qui n'allait pas. Il ne voyait personne, près d'elle, aucun danger non plus. Elle portait une robe couleur de paille, elle avait des pieds minuscules, nus dans l'herbe, elle s'essuyait une joue en faisant la grimace. Il dit :

— Tu es blessée ?

Elle haussait les épaules. Il ne comprenait pas.

— Pourquoi pleures-tu ? Je suis le Rouge, tu sais bien... J'ai du poisson, un peu. Mais. Il s'arrêta parce qu'elle avait bougé, un très petit pas en arrière.

Elle dit :

— Je t'ai vu plusieurs fois. Et même l'an dernier, voilà... On peut pleurer sans être blessée !

« Tu es méchant, dit-elle aussi. Et pourquoi *le Rouge,* d'abord ?... Va-t'en !

— Je ne sais pas, dit Pierre. Il ne bougeait

pas, il regardait Marie, il essayait de penser. Il dit :

— Les animaux pleurent, aussi, quand ils sont blessés... C'est à cause de mes cheveux.

— Tu te moques de moi ? dit-elle. Je ne te crois pas, voilà... Et tu as sûrement un nom, comme tout le monde.

— Je m'appelle Pierre. Pierre. Il songea qu'il n'avait prononcé ce nom que jadis, avec ses parents, et jamais depuis. Tout surpris de s'être ainsi nommé, il n'en revenait pas. Il en oubliait de voir Marie qui, elle, l'observait. Elle dit :

— Ce n'est pas très intelligent. Moi, on ne m'appelle pas *la Noire* !

Pierre sourit enfin ; il revenait lentement à lui. Il dit :

— C'est parce que je suis indien...

— Un Indien roux ! C'est nouveau.

— Ma mère était indienne. A moitié. Pas mon père.

Il se tut. Il cherchait ce qu'il avait oublié de répondre. Elle avait dit quelque chose d'important, mais quoi donc ? Il aurait dû répondre. Cela lui échappait maintenant. Il manque quelque chose ; j'ai l'impression... C'était désagréable : quelque chose n'allait pas. Il regardait son pied, le remuait pour chasser cette douleur...

Elle dit :

— Parce que tu as une mère, toi ? Et un père ?

— Oui. Pas maintenant, ils ont disparu. On dit qu'ils sont morts. Tout le monde...

— Tout le monde dit qu'ils sont morts ? Et toi ?

— Non : tout le monde a un père et une mère.

— Ah. Pas moi. Voilà.

— Et c'est pour ça que tu pleures.

— Mais non ! dit Marie.

Pierre enleva un mocassin. Ce qui blessait son pied, c'était un minuscule morceau de branche, sur lequel roulait la plante. Il se déchaussa complètement et rangea les mocassins dans son sac. Il sentait les yeux de Marie, qui suivaient tous ses mouvements.

Il regarda la maison blanche et dit : « Alors, les gens qui vivent ici, ce ne sont pas tes parents ?

— Non. Ils m'ont adoptée. »

Est-ce que les parents de Marie ont disparu aussi ? Il songeait à le demander, mais il n'osait pas. Il y avait aussi cette chose, qu'elle avait dite (il ne savait plus quoi), qui le tracassait toujours. Et puis, Marie le regardait, maintenant, avec beaucoup d'attention. Cela le gênait. Elle dit : « Tu peux aussi bien t'en aller, tu sais ! Inutile d'entrer. Ils ne t'achèteront rien. Ils dorment.

« Ils ont bu toute la nuit, voilà. »

Elle le regardait toujours. Il était blessé par ces yeux brillants, coupants, qui ne le lâchaient plus. Il esquissa un recul.

— Bon, dit-il, je m'en vais, alors, et fit demi-tour. Il se mit en marche, doucement. Il savait qu'elle le regardait, dans le dos ; il continua. Quand il fut à quelques pas de la clôture ouverte, il entendit soudain : « Tu peux revenir, tout de même !

« Je m'appelle Marie !

« Au revoir ! »

Il se retourna. Elle le regardait toujours. Il s'éloigna.

II

Quand se lève le jour, vers quatre heures, les ratons laveurs font un bruit très léger : ils gazouillent, ils appellent les femelles, avec de petits chuintements qui accompagnent le frôlement d'une sorte de danse énervée, à travers les taillis de bouleaux et de coudriers. A cette saison surtout, au début de l'été.

Et voici la femelle qui accourt ; Pierre, de son lit, entend parfaitement son passage. Plus de gazouillis : elle est près de son mâle ; elle tourne autour de lui, si lentement qu'on n'entend rien ; ce sera long.

C'est l'aube, dehors. Les corbeaux et les corneilles mènent une conversation sans fin.

Des cris rauques, que l'écho traîne longtemps entre les pointes échevelées des hauts pins noirs. Les cris meurent, deux à deux, et jaillissent d'ailleurs, et se répondent. L'odeur salée des fougères parvient jusqu'à la cabane.

Est-ce que Pierre a dormi ? Plutôt sommeillé puisqu'il a su, heure par heure, où en était exactement la nuit, qui n'en finissait pas de bouger. Tous ces bruits, ces frôlements, ces craquements, ces voix qu'il n'entend que rarement, d'habitude. Tout à l'heure, il a très bien suivi la bataille entre un pékan et un porc-épic. Il n'a pourtant compris ce qui se passait qu'au moment du meurtre.

La décision de Pierre était bien prise : il irait voir Marie, dès le matin, le plus vite qu'il pourrait, et il essaierait de lui parler encore. Mais plus calmement, plus longuement. Il faut que je me rappelle tout de suite quoi lui dire, quoi lui demander, parce que sinon, je regarde Marie, elle parle, et j'ai oublié ; c'est sans doute parce qu'elle pleurait qu'elle a dit : *Tu es méchant ;* sans y penser, peut-être.

Le pékan s'est laissé descendre de son arbre, à toute vitesse, tête en avant comme d'habitude, droit comme une flèche, sur le porc-épic. D'un coup de griffes, il a retourné l'intrus sur le dos. A ces moments-là, on entend bien le tout petit cri, et le claquement des mâchoires : c'est ainsi que crient les porcs-épics. Celui-là s'est tu rapidement, le pékan affamé lui a vite crevé la panse molle et juteuse.

Pourquoi méchant ; elle n'y a pas pensé, elle ne sait pas ; à qui a-t-elle parlé de moi ? Aux pêcheurs du village, peut-être ; et aussi à ses voisins, les estivants du Cap ; alors, ce sont eux qui lui ont dit que j'étais méchant ; elle, Marie, ne me connaît pas. Elle a dit qu'elle me connaissait, qu'elle m'avait vu, et même l'an dernier ; c'est très étrange que je ne me souvienne pas d'elle.

Le lit s'emmêlait : la couverture toute roulée, la fourrure avec le poil dehors, à l'envers, et qui s'était refroidie. Pierre s'était trop retourné, trop de fois.

Une autre nuit que celle-ci, la marée haute l'aurait réveillé, avec le claquement des vagues contre les rochers de la rive, près de la cabane. Mais justement, cette nuit, l'eau du Golfe n'a fait que baisser, en silence.

Marie, Marie. Raidie. De colère ? Elle a dit qu'ils avaient bu, et qu'ils dormaient ; ils l'ont adoptée.

Il était certain qu'une moufette, endormie, avait reçu la visite d'un intrus, quelque part autour de la cabane, vers le milieu de la nuit. Il n'avait rien entendu, mais l'odeur forte de musc vaporisée par la moufette avait pénétré partout. Ce devait être ça : vers le milieu de la nuit ; le seul moment, très court, où se taisent les goélands et les mouettes. Et même les pétrels. La nuit se suspend et s'arrête, c'est peu de temps, puis elle bascule ; c'est un autre jour, sans aucune clarté qu'une aurore boréale, parfois, tout effilochée, mais déjà ce n'est plus hier. On n'entend alors que le vent, s'il y en a. Il n'y en avait pas. Le moindre frottement parvient aux oreilles, si l'on ne dort pas : même le pas d'un carcajou, plus léger que celui d'un oiseau, et qui se glisse le long des pistes des autres, voleur de trappes, pilleur de pièges et de collets. Je déteste le carcajou, le glouton ; on ne peut le surprendre que quand il est voleur. A ce moment précis de la nuit où tout est possible, où l'on peut tout entendre : même le pas du carcajou.

Pierre écoutait, au milieu de la nuit. S'il avait perçu le moindre frôlement, s'il avait soupçonné le glouton, il serait sorti de la

cabane, peut-être, pour le faire fuir. Mais rien
ne bougeait. Le milieu de la nuit était immobile. Marie, seule, peuplait ce moment de
silence. Avec sa robe paille. Elle avait aussi,
croyait Pierre, une ceinture blanche. Mais ce
n'était pas sûr. Ce dont il était sûr et qu'il
avait revu avec netteté, c'étaient les jambes et
les pieds de Marie ; minces les jambes, dessi-
nées, sans une once de graisse, de ces jambes
d'animal sauteur dont on ne sent que l'ossa-
ture et le muscle, dans un sac de peau serré,
parfait ; petits les pieds, dans des sortes de
sandales qui laissaient voir à travers leur cuir
tressé toutes les attaches des orteils, dont les
extrémités longues portent des ongles tendres.
Pierre se retournait sur son lit, il cherchait
le souvenir des mains ; comment étaient les
mains de Marie, quand elle essuyait un peu sa
joue ? Il n'avait pas remarqué. Mais la joue,
oui, avec une peau très claire, plus claire que
celle de la main, justement, et au milieu de ce
visage, les yeux. Les yeux comme de métal
brillant, rigides, piquants, qui restaient accro-
chés à Pierre.

Lorsque la nuit commençait, déjà, les yeux
de Marie l'accompagnaient. Quand un peu de
fraîcheur entrait dans la cabane, avec l'odeur

des varechs. Quelques cris de goéland qui s'éveille, sur l'eau, et qui crie de frayeur, ou qui appelle, ou encore défie les autres mâles avant de se calmer à gloussements de plus en plus espacés, et se rendort. Des frôlements d'oiseau, aussi, des hulottes qui chassent ; des vols disparates, de pétrels fous. C'est à peu près à ce moment où tout commence de s'alourdir, que Pierre s'était souvenu exactement : Marie avait dit *tu es méchant*. Il aurait dû lui demander pourquoi, bien sûr ; il ne l'avait pas fait.

Qu'est-ce qu'être méchant ? Comment savoir, c'est une chose d'importance, que Pierre regardait de ses yeux grands ouverts dans la nuit. Il n'apercevait même pas les planches des murs de sa cabane, ni les tablettes où il entreposait ses objets. C'est une chose grave. Pour Marie, c'était sans doute une chose grave. Elle était là, cette chose, dans le silence absolu de la nuit. Mon père disait de quelques animaux qu'ils étaient bons. Mais on n'avait jamais parlé des autres, devant Pierre, des méchants, s'il y en avait. Il y avait ceux dont on ne se méfie pas, les bons sans doute, et les autres ; ceux-ci pouvaient mordre, ou griffer, ou empoisonner, comme aussi les plantes que connaissait si bien ma mère. C'était dangereux. C'était peut-être : méchant ? Mais lui, Pierre ? Quel danger pouvait venir de lui ?

Il s'était allongé sur le lit, à la nuit tombante, dès le coucher du soleil qui, ce soir-là, s'encombrait de longs nuages d'ocre en feu, à l'horizon du Golfe. Il ressentait une inhabituelle fatigue, comme une tristesse qu'il ne connaissait pas. Une extrême douceur s'était répandue en lui, avec la somnolence. Il s'était senti mieux, peu à peu calmé, certain que nul danger ne pouvait venir de lui. Il pourrait sourire à Marie. Il pourrait regarder Marie, et l'écouter, et tâcher de comprendre ce qu'elle disait. Il s'assoupissait, en murmurant le nom de Marie, Marie, avec ravissement, et cherchant le moyen de la revoir : ce ne pouvait être, bien sûr, qu'une nouvelle tentative de vendre du poisson, ou du gibier, à la maison blanche, à ses parents. Il faudrait aller au barrage des castors, voir si le piège. Il s'endormait. Il pensait que jamais une autre personne ne lui avait donné cette envie de parler, ni d'écouter. Déjà, tout l'après-midi, Pierre avait essayé de retrouver dans sa mémoire la voix de Marie : *Moi, je ne m'ap-*

pelle pas la Noire... *Ce n'est pas très intelli-*
gent... Il cherchait encore, en regardant le
soleil descendre vers le Golfe : *Tout le monde*
dit qu'ils sont morts, et toi ?... Tu te moques de
moi ?... Au point qu'il n'avait rien fait de ce
qu'il avait, l'après-midi, l'habitude de faire :
ni pêcher, il avait laissé la marée monter et
noyer son barrage sans aller même y voir ; ni
aller du côté des campeurs, pour vendre un
peu de poisson et surtout pour se distraire à
leurs activités, il n'y avait pas pensé. Ni manger, même. Il n'avait rien fait. Il avait oublié
d'aller guetter un second caneton, pour cette
femme de la maison grise. Rien.

Il s'était assis, voilà tout ; sur la souche
devant la porte de la cabane, face au large,
et il avait pensé à sa rencontre avec Marie. Le
baissant de la mer commençait. Les rochers
couverts de lichens rouillés sentaient la feuille
morte et le soleil. Les galets ronds, à perte de
vue, comme des œufs sur le sable, se chauf-
faient au midi. Les longues traînes de goémon
avaient fini par se coller au sol comme des
serpents interminables et vidés de fatigue.
Des granits éboulés parsemaient la rive, lisses
et livides comme des loups-marins échoués.
Des franges de minuscules moules noires ser-

pentaient leurs boudins sur la grève, en souli-
gnant chaque ligne successive où s'était un
instant reposé le baissant. Le barrage de
Pierre était presque à sec, et un huard à long
cou pêchait, au large. Il plongeait, tête la première, à peine l'eau plane se creusait et se
refermait sur lui. Au bout d'un long moment,
on le voyait ressortir beaucoup plus loin,
impavide.

Pierre n'avait pas bougé. Depuis qu'il s'était
assis là, sur la souche, il se noyait délicieuse-
ment au souvenir de Marie. La tête emplie de
lenteurs imprécises et tendres. C'était un
bonheur qu'il ne connaissait pas et qui empêchait tout mouvement. On s'assoit, et on
revoit Marie. On revient lentement en arrière
par une molle chaleur, comme si l'on se baignait de soleil — le soleil qui est là et semble
s'accumuler pendant que le temps recule, et
recule encore. Jusqu'à ce que Marie (peut-
être souriait-elle), dise : *Tu peux revenir, tout
de même...* Et comme un cadeau, elle lui avait
donné son nom : *Je m'appelle Marie !* J'entends
aussi, maintenant, très clairement, son dernier mot, plus joyeux que les autres ; elle a
bien dit : *Au revoir !* Au revoir.

Il n'y avait pas eu un souffle de vent, de

tout l'après-midi. Le Golfe brillait jusqu'aux Iles. Les yeux de Marie. Elle l'avait regardé longuement avant de lui dire cet au revoir. C'était après ces mots : *Ils dorment. Ils ont bu toute la nuit. Voilà.* Marie disait : *Voilà.* Elle l'avait dit plusieurs fois, et l'image ancienne de son père renvoyait à Pierre ce mot, qu'il disait aussi. Mon père disait aussi : *Voilà*; je me souviens ; à voix plus basse. Les mouettes à la chaleur montante apparaissaient, comme chaque jour à l'heure du baissant. Elles rebondissaient sur l'air, à chacun de leurs mouvements d'ailes, indolentes. Mais Pierre voyait très bien le point brillant de leur œil, pointu comme un couteau, cherchant le meurtre sur la grève et dans l'eau basse. Son père leur jetait des déchets de poisson chaque jour, peut-être chaque jour, devant la cabane, sur cette batture. Et même les jours où il n'y avait rien à manger, les mouettes venaient, voletaient, se posaient sur les rochers, sur les arbres. Depuis que Pierre était seul, elles ne venaient plus qu'au hasard, elles avaient oublié, ou bien c'étaient d'autres mouettes.

Aujourd'hui, il aurait pu leur jeter des harengs morts, lorsqu'il était arrivé à la cabane. Mais il n'avait rien fait. Il pensait à ce que Marie avait dit : *Tu es méchant.* Et même, elle avait ajouté : *Va-t'en,* une chose que Pierre n'avait jamais entendue. C'était cela, que Pierre avait oublié, c'est à cela qu'il aurait dû répondre, lorsqu'il était près de Marie, tout à l'heure. En revenant de la maison blanche, au milieu des bois mêlés, juste avant d'entrer dans la sapinière, il y avait pensé. Il avait marché sans rien voir.

Trop tard. Il était trop tard pour répondre, pour demander aussi à Marie ce qu'elle avait voulu dire. Il était loin du Cap, déjà, il coupait par les battures, il revenait à la cabane. Il était seul, bouleversé.

III

Jamais il n'était allé au Cap deux jours de suite. Le chemin était tortueux, et difficile. Il y avait bien, près de la cabane, la laie mille fois parcourue, bien nette entre les fougères et les sapins ; et puis, à l'autre bout, la route que l'on atteignait brusquement, franchies les battures, et qui grimpait au Cap. Mais entre ces deux passages, très courts, le chaos naturel ; changeant, suivant les vents qui obstruaient d'arbres abattus une traversée de rocailles : il fallait contourner ; mouvant, parce qu'une pluie avait empli d'eau une savane, devenue soudain marécage.

Il prit pourtant, le lendemain, le chemin

du Cap ; dès le matin, sans perdre de temps. Il vida son sac d'écorce de bouleau, abandonna les harengs et n'enveloppa de papier que quelques palourdes. Il partit très vite.

L'ombre lentement pâlissait sous les arbres dont les sommets déjà luisaient de soleil. A l'orée, la lumière éclatait sur les fleurs de la prairie. Sur le golfe, c'était l'étale de vaguelettes scintillantes jusqu'à l'horizon où montaient les premières brumes de chaleur, cachant les Iles-aux-Ours.

Marie est peut-être près de la clôture blanche. Elle parle avec des gens. Alors moi, je montre les palourdes. Mais je ne lui parle pas, à elle ; à cause des gens.

Elle est seule. Je lui parle. « Tu as dit que je peux revenir. » C'est ce que je dis.

Elle n'est pas là. J'entre, et je vais à la maison blanche. Je frappe, c'est lui qui l'a adoptée. Je le connais, il est petit, noir, il a une barbe. « J'ai des palourdes, si vous voulez. Un dollar. » Je vois Marie peut-être. Est-ce qu'elle pleure ?

Il longea la haute marée, il tourna autour de chaque crique, il allait le plus vite possible, il atteignit la route du Cap et s'enfonça sous les futaies. Une odeur de résine courait au ras des souches de l'an passé.

Quelqu'un le regarda venir, du pas de la maison grise qui a des volets verts. Un homme, jeune, que Pierre n'avait jamais vu encore, et qu'il ne prit pas le temps d'examiner. Une voiture passa, qui couvrit la route et les taillis de poussière ; puis une autre, un peu plus tard. Il allait, régulier, vers l'extrémité du Cap, vers la maison blanche. Et Marie, qui était là. Elle lui faisait un signe, en levant le bras. Elle portait un pantalon couleur de terre, un chandail. En se rapprochant d'elle, il vit qu'elle tenait un livre à la main, et que ses pieds étaient nus, dans l'herbe du fossé.

Pierre souriait.

— Aujourd'hui, tu ne pleures pas, dit-il.

— Hier, je ne pleurais pas. Presque pas, ce n'était rien.

— J'ai pensé à toi. Peut-être que tu serais là. Tu avais dit que je pouvais revenir. Et il y a une chose que je voulais te demander.

— Viens, avance un peu. Tu peux entrer, tu sais : ils ne sont pas là. Et puis même ! Ils sont partis chercher à manger, et à boire, ou je ne sais quoi. Si on s'assoit derrière les rochers, là, on ne nous verra pas. C'est un coin que j'aime bien, viens voir, j'y vais souvent pour lire en paix. Et s'ils arrivent, alors tu pourras t'en aller par le bas, par le bord de l'eau. Viens.

— Mais j'ai apporté des coques. Je pourrais leur vendre. Je les avais hier, déjà. Personne n'en a voulu.

— Non. Il ne faut rien leur vendre. Rien, tu comprends ? S'ils te voient avec moi, c'est moi qui prends. Qu'est-ce que tu faisais, tu n'as rien à faire avec le Rouge, encore une de tes folies, ils me grondent, ils se disputent... Elle, elle me défend ; lui, il crie. Ou alors c'est le contraire, mais c'est la même chose. Ils crient, ils cassent tout, voilà les pleurs... Je m'enferme avec un livre, ou je vais dans le bois, chercher des fraises, des fleurs, me promener. Au bord de l'eau, j'aime bien. Je regarde les mouettes grises, qui se posent sur le golfe : je peux passer des heures... Mais je préfère quand ils ne se disputent pas, avant. Parce qu'ensuite, quand je reviens, ils sont saouls et je prends tout. Voilà.

— Voilà, dit Pierre, et il sourit.

Il suivit Marie, faisant le tour de la maison. Elle entra sous les arbres et se faufila entre deux rochers. De l'autre côté, un éboulis avait laissé une sorte de plate-forme comme une clairière que bordaient, sur trois faces, des monceaux de rocs, et qui s'ouvrait sur la pente boisée, vers le Golfe. On voyait l'eau entre les branches basses des coudriers.

Marie dit :

— N'est-ce pas que c'est bien ? On ne peut pas nous voir.

— Tu sais, si elles se posent sur l'eau, et si elles sont grises, ce ne sont pas des mouettes. Ce sont des goélands.

— Ah. Je ne savais pas. Assieds-toi.

— Pourquoi as-tu dit, hier, que j'étais méchant ?

— J'ai dit ça ?... Tu es méchant, non ?

— C'est quoi, méchant ?

— Oh, écoute ! Tu ne comprends pas méchant ? C'est incroyable.

— Si, je sais ce que tu veux dire... Mais pourquoi...

— C'est parce que tu massacres les animaux. Entre autres choses, être méchant, c'est ça. Pour toi. Tu ne fais que tuer. C'est ce qu'on dit. Les animaux, les oiseaux, les poissons... Pour les poissons, je crois que ça me fait moins de peine. Est-ce que les poissons souffrent, quand on les tue ? Moi je crois que oui ; mais on dirait que ça m'embête moins. Les autres animaux, c'est horrible.

« Par exemple les loups-marins, dit-elle. Et même les petits, les blancs. Tu leur enlèves la peau. Pouah ! Et les martres, et les visons, et les castors, et tous les animaux du bois, et du Golfe ! Tu vas sur les Iles, tu vas sur l'autre rive, tu vas partout. Tu les fais souffrir, voilà.

— Voilà...

— Tout le monde le sait, ils me l'ont dit ! Je leur demandais ce que tu faisais, toute l'année, toute la vie ; ils m'ont expliqué. Mais ils ne savent pas expliquer, ils s'embrouillent, ils font la bête. Ils avaient l'air de trouver tout cela normal. Ils sont stupides, et ignorants.

« Il a dit : il faut bien qu'il vive, le Rouge, non ? J'enrageais, moi. Elle pleure, l'idiote ! Voilà la grande sensible, qui n'a pas de cœur. Cette enfant est un paquet de nerfs ! Elle se réfugie dans des stupidités qui ne sont pas de son âge. A treize ans, moi, je savais tout de la vie, et cela ne m'empêchait pas de penser déjà à l'art. A quelque chose, quoi! Je savais très bien ce que j'allais faire ! Elle ? Rien ! Elle regarde une de mes toiles, rien : elle ne voit rien! C'est un échec. Et total! Elle ne fait que lire, elle lit tout, n'importe quoi, et elle ne comprend naturellement rien. J'ai adopté ça! Quelle idée! — Tu veux arrêter tes saletés? Elle est à moi, et tu étais bien d'accord. Tu n'as jamais rien fait pour l'aider, non plus. — Et toi! Parlons-en : tu penses à elle quand il n'y a personne d'autre. Ce qui est rare! — Au contraire, au lieu de l'aider, tu ne cherches qu'à la détruire. — J'ai autre chose à faire qu'à discuter sans fin de stupidités, d'enfantillages. Je travaille, moi! — Combien d'années que tu n'as rien produit, hein?... Ton travail? C'est parler, parler des trois misérables coups de pinceau que tu donnes, de temps en temps! Ou de ceux de tes amis : beau travail! — Tu ne les détestais pas, mes trois coups de pinceau, hein? il n'y a pas si longtemps... Et je vends, moi! Allez, viens boire un coup, va, tu me fais rire! — On achète n'importe quoi, maintenant...

« A la fin, il casse une chaise, ou une table, d'un coup de pied. Ils crient, ils rient comme des fous. Elle? D'autres fois c'est elle. Elle est encore plus bête que lui. Quand elle a beaucoup bu, ou alors quand elle revient après des jours d'absence, elle me dit que je suis laide, hypocrite, que je n'aime personne. Toutes ces choses. Voilà.

— Voilà...

— Pourquoi tuer les animaux, Pierre ?

— Attends. Je n'y ai jamais pensé.

— Il faut penser. Il faut lire. On apprend, on apprend tout. Tout est dans les livres... C'est dommage, parce que je te trouve intéressant, Pierre. Quand tu souris, surtout quand tu souris. Tu as l'air gentil, tu ressembles à un bon chien maigre. Je voudrais bien avoir un chien, tu sais ? Ou même un chat. Ils ne veulent pas. Tu as un chien ?

— Non.

— Tu devrais. Il te tiendrait compagnie. Alors, tu aimerais ton chien. Et peut-être que tu aimerais les autres animaux aussi. Peu à peu. Voilà.

— Voilà... Tu dis : voilà.

— Quoi, voilà ! Tu te moques de moi ?

— Non, non, dit Pierre. Je pense à mon père. Il disait aussi comme toi : *voilà*. Mon père avait un chien.

— Très bien. Alors, il ne l'a pas tué, n'est-ce pas ?

— Non. Il tirait le traîneau. C'est pour ça que je sais que la glace a cédé. J'y ai pensé

souvent. Le chien n'est pas revenu, c'est qu'il
était mort. Je suis sûr.

— Quelle glace ? De quoi tu parles ?

— Quand ils sont partis, mes parents, avec
le chien, et qu'ils se sont perdus... Mon père,
c'est lui qui m'a appris à tuer les animaux. Il
m'a montré toutes les façons : la moufette,
dans un sac, et noyée ; le renard, on le prend
au cou, avec une main, et les pattes arrière
serrées entre les cuisses, avec l'autre main on
presse le cœur vers le bas ; il meurt.

— Quelle horreur !

— La loutre, c'est un coup de rondin sur le
nez, dit Pierre. Le lynx, c'est avec un collet : il
s'étrangle tout seul ; c'est pour ne pas abîmer
la fourrure, voilà pourquoi. Mon père m'a
appris aussi à me servir d'un fouet, à mettre
des pièges. Et j'ai un enclos pour attirer les
lièvres : je mets des branches de bouleau, bien
tendres, au milieu, ils adorent ça ; ils y
viennent, et quand ils sortent ils se prennent
aux collets.

— C'est ça, être méchant.

— Je ne sais pas.

— On peut être méchant sans le savoir, mon
pauvre Pierre.

« Chut ! Tais-toi... Une voiture qui arrive,

sur le chemin. Ce sont peut-être eux ? Tu pourrais partir par là...

« Non, elle s'est arrêtée, dit Marie. Ce sont nos voisins. Attends encore un peu.

— Il y a des enfants qui courent.

— Ah oui ? Comment le sais-tu, tu les entends ? Tu es fort, toi ! Bon, ce sont les voisins... Tu sais, Pierre, je crois que tu n'es pas méchant, et je n'ai pas voulu te faire de la peine, moi !

— Mais on peut être méchant sans le savoir. Tu l'as dit.

— Non, non, pas toi ! Je vois bien. Il paraît que tu prédis le temps, aussi ? Quel temps fera-t-il demain ? Pour voir...

— Demain ? Du vent, beaucoup de vent, après la marée du soir. Il y aura des vagues, l'eau sera pleine de terre et j'aurai peut-être des plies, dans ma pêche.

— Mais comment peux-tu savoir ça ?

— Des choses, la mer, les feuilles des trembles... Les mouettes, de la façon qu'elles volent. Et l'habitude, je ne sais pas trop. Mais je me trompe souvent.

— On dit que tu ne te trompes jamais. On dit que tu manges de la viande crue. Et des crevettes vivantes. On dit que tu es fou, que tu dis des choses incompréhensibles. Je ne trouve pas, moi. Tu ne m'as dit rien d'idiot, pas une fois !

— Je ne sais pas. J'aime bien parler, dit Pierre ; mais c'est difficile. Souvent, je me parle, je parle tout seul. Ou je parle à la mer, aux arbres... C'est difficile.

— Très. Mais tu fais bien : on ne te répondra pas de bêtises !... Tu vois beaucoup de gens ?

— Presque jamais, presque personne. Sauf le Voyageur, qui passe souvent.

— Tu veux savoir ce que je crois ? Je crois qu'ils ont peur de toi ! Ils disent que tu vis dans un coin impossible, trop loin, ils disent que tu peux tuer n'importe qui, ils disent beaucoup de choses, mais moi je crois que tu leur fais un peu peur. Voilà.

« Tu leur vends des fourrures ? dit-elle aussi.

— Oui. Il y a le Voyageur, surtout, qui me les achète. On échange aussi, lui et moi. Il a de tout, dans sa camionnette.

— Même l'hiver ?

— Oui. Quand il y a trop de neige, il s'arrête loin, derrière le bois d'érables. Je l'entends. Je vois ses lumières. Je mets les raquettes et j'y vais. Mais l'hiver, il ne vient pas souvent. Je vois aussi des chasseurs, des pêcheurs, des gens du village, qui viennent de temps en temps. Et les campeurs, du côté de la grève, derrière chez moi.

« De la viande crue... C'est bon ! dit Pierre. Pas toute la viande, non, mais...

— Ça n'a pas d'importance. Laisse. Oublie ça. Je suis bien, ici, avec toi. »

Elle donnait l'impression qu'une vague d'eau, très douce, la recouvrait tout entière. Ou aussi que son corps s'emplissait lentement d'une longue respiration, pendant laquelle elle baissait les paupières (elles étaient blanches) ; puis elle ouvrait les yeux et regardait, sans bouger. Elle était assise sur un rocher et se laissait glisser dans la douceur de l'herbe voisine. Pierre était accroupi près d'elle, dans une posture dont il avait l'habitude, se reposant sur ses jambes pliées sous lui. Son sac, pendu à l'épaule par un cuir, touchait le sol. Marie regardait cet homme, vêtu d'une veste de laine à carreaux et d'un très vieux pantalon ; il avait les cheveux roux, le visage sec et des yeux bleus, très pâles, deux ciels dans lesquels semblaient passer parfois des voiles de nuages. Elle avait un sourire très mince sur les lèvres.

On entendait des cris d'oiseaux marins, proches, probablement au bord de l'eau, un peu en contrebas de leur refuge de roches. On voyait tout le Golfe se déployer, entre les troncs, jusqu'à l'horizon des Iles, qui semblaient voguer lentement, à travers une légère onde de brume.

Au bout d'un moment, Pierre dit : « Je ne comprends pas tout ce que tu dis. Mais si tu parles encore, je suis sûr que je comprendrai tout. Si tu m'expliques.

— Bien sûr. Il suffit d'expliquer ! Moi, je sais expliquer... Il a dit une fois que je suis un génie. Oh, c'était pour se moquer de moi ! je sais, mais ça ne fait rien. Il était très en colère, même, à cause de ça. Elle est impossible, il disait, elle sait tout, elle a tout lu, elle est vieille ; vieille ! Tu es une vieille ! Elle raisonne, elle explique, elle nous emmerde, oh oui !... Qu'est-ce que tu n'as pas compris ? dit-elle en levant les yeux sur Pierre.

— Je ne sais pas... Lui. Je n'ai pas compris lui.

— Lui ? Quand j'étais petite, il me faisait peur. J'écoutais, je l'écoutais crier, j'avais peur. Et aussi, je trouvais qu'il avait raison, sur tout ce qu'il disait. J'étais comme toi, je ne comprenais pas tout...

« Ils se disputaient, tous les deux, pour des choses que je ne connaissais pas. J'étais trop petite ! Ils se battaient, aussi, j'entendais des coups, des choses qui tombaient, des choses qui se cassaient ; tu sais, je déteste le bruit. Même quand ils riaient très fort, j'entendais de grands éclats, j'avais encore peur. Il n'y avait qu'une chose que j'aimais : c'était lire. Je me trouvais des coins tranquilles, comme ici nous deux, tu vois, et je lisais. Plus je lisais, plus je comprenais de choses, ce sont les livres qui m'expliquaient. Et alors, tu sais quoi ? J'ai trouvé qu'il n'avait pas raison. C'est pas vrai, je lui disais ! Paf ! Il était furieux. Et elle, comme lui. Ne discute pas, disait-elle... Plus je trouvais, plus je lisais ; et plus je trouvais encore. A la fin, je savais tout (comme il dit). Je ne savais pas tout, tu sais, mais assez pour lui répondre. Après, il m'a détestée. Et je l'ai détesté. Tu comprends ?

— Je crois que oui. Un peu...

« C'est comme un piège pour toi, dit Pierre, et tu as trouvé comment passer sans te prendre.

— Dis donc, tu n'es pas bête ! C'est ça.

— Le carcajou, quand il trouve un piège, il réussit à voler l'appât. C'est un malin.

— Ah oui ? C'est ça.

— Mais pourquoi le piège ? dit Pierre.

— Ça, je ne sais pas. Je le saurai un jour, et alors je saurai tout. Voilà.

« Toi, ton père, il t'a appris à tuer les animaux. Il aurait pu t'apprendre autre chose, non ? Je ne sais pas quoi, moi ! Mais ce que je sais, c'est que lui non plus, il n'avait pas raison. Comment peut-on tuer une bête ! Elle n'a pas une seule chance de se défendre. Ce n'est pas juste.

— Mais, elle va mourir de toute façon !

— La belle idée. Toi aussi tu mourras. Est-ce que je te tue ?

— Je ne lui fais pas mal. Je suis caché, je guette. Elle ne me voit pas, elle n'a pas peur, elle ne se doute de rien. Avec la carabine, une seule balle, c'est fini. Avec le fouet, encore plus vite.

— Oui, et tu poses des collets, et des pièges, n'est-ce pas ? Alors, ton animal, il s'accroche, et il s'étrangle...

— C'est très vite fait.

— Ou il se prend au piège, et il souffre en attendant que tu le tues. C'est horrible.

— Les animaux se tuent, entre eux. Ils se font souffrir beaucoup, tu sais ?

— Ah.

— Oui, oui ! Ils se mangent vivants. Comme moi les crevettes.

— Pouah !

— Oui, dans le ventre, à pleines dents. Il y a des orignaux qui traînent leurs boyaux plusieurs jours, avant de mourir.

— Tais-toi Pierre, tu me dégoûtes. »

Les mains de Marie reposaient sur ses genoux. Les doigts, comme de petites racines jetées au hasard sur l'étoffe rêche du pantalon, faisaient de minuscules ponts qui se détachaient au-dessus de leur ombre bleutée. L'un d'eux portait une fine bague argentée sur laquelle une petite pierre orangée scintillait doucement. Pierre voyait très bien la forme des os, sur le dos des mains qu'ils ravinaient. Épousant les reliefs couraient des ramures bleutées, sous un duvet ténu qui blondissait au soleil.

Plus bas, les chevilles jaillissaient du pantalon, serrées l'une contre l'autre, et le jeu des osselets recommençait sous la peau, jusque dans l'herbe et le sable où les doigts s'enfonçaient, couverts de brindilles.

Marie avait posé près d'elle le livre qu'elle tenait. Elle le feuilletait, et elle regardait Pierre. Au bout d'un long moment, elle dit : « Tiens, je vais te prêter mon livre, ce sera mieux que de parler comme ça... C'est très intéressant. Je n'ai pas fini de le lire, mais je peux le reprendre n'importe quand, et j'en ai beaucoup d'autres, en attendant. Chaque fois que je vais avec elle, dans les magasins, j'en rapporte un tas, elle dit tu me fiches la paix, comme ça, heureusement ! C'est ce qu'elle dit.

« Tu sais ce que c'est ? C'est une histoire terrible. C'est un homme très méchant, qui a tué son père et sa mère, pour hériter plus vite, tu comprends ? et il fait souffrir tout le monde autour de lui. Ses yeux s'emplissaient de flammes et son rire éclatait voluptueusement. Il est très riche ; avec son argent il achète des tas d'esclaves qui sont battus, fatigués, malades. Même leurs belles dents blanches de nègres jadis heureux tombaient une à une, c'est terrible, je te dis ! Et tous ceux qui lui résistent, il les poursuit de sa vengeance, jusqu'à ce qu'il soit victorieux... Alors, à la fin, quand on est dégoûté de lui, de cet homme, quand on sait bien tout le mal qu'il a fait, il tombe très malade. Et là, personne ne veut le soigner, tu comprends, ils ont bien trop peur de lui, tous tant qu'ils sont. Il est puni, et salement. Ses souffrances sont atroces, il expira en criant : *Satan !* Tu te rends compte !... Je t'assure, c'est un bon livre. »

Marie allait à la fin du texte, à la dernière page, en face de la couverture, elle montrait les dernières phrases. Elle dit : « Je sais toute l'histoire, au complet, parce que j'ai lu la fin. Je ne pouvais pas résister, tu vois ?...

« Mais toutes ces aventures, avant qu'il meure ! dit-elle. Fantastique, c'est si bon ! C'est un peu exagéré, je sais la fin, et pourtant je me demande, en lisant : que va-t-il arriver ? Tu ne me crois pas ?

— Si, je crois que je comprends ça...

— Tu le veux ?

— Le livre ?

— Bien sûr ! Je te le prête, je te dis que j'en ai d'autres. Tu me le rendras, voilà tout. Tu vas voir, c'est très bien. Mets-le dans ton sac ; attends, donne, je vais t'aider... Quelle horreur ! Tu transportes encore tes cochonneries !

— Ce sont des palourdes, dit Pierre.

— Demain, tu viens me voir, mais tu viens les mains vides. Voilà.

— Bon », dit Pierre, et il sourit.

Marie le regardait, et soudain se mettait aussi à sourire. Elle cueillait un brin d'herbe, près de ses pieds, elle le mettait dans sa bouche.

Elle tournait les yeux vers la maison blanche, dont on apercevait vaguement un des angles, fait de planches posées en déclin et qui s'aboutaient par un gros boudin de bois, vertical. Le haut de cet angle se perdait derrière le feuillage d'un bouleau, le bas était caché par le rocher derrière lequel ils s'étaient tous deux glissés pour atteindre cette clairière.

Marie dit : « Ce que tu peux apporter, demain, ce sont des fleurs, par exemple ! Ou des plantes que tu connais. On dit que tu sais celles qui sont bonnes, et celles qui sont poison. C'est vrai ?

— J'en connais beaucoup. C'est ma mère Nod qui me les avait montrées. Je t'en apporterai. Des bonnes ou des mauvaises ?

— J'aime mieux des mauvaises, pour voir... Écoute, une voiture ! Cette fois, ce sont eux. Sauve-toi par là. Au revoir, à demain, si tu peux venir. Je t'attendrai ici. Vite, vite ! »

Elle fuyait déjà, légère, elle s'était levée en un instant. Pierre, immobile, écoutait le bruit d'une automobile qui entrait dans la propriété et s'arrêtait près de la maison.

Il se leva dès que Marie ne fut plus visible, prit son sac au bout de sa lanière de corde, et s'éloigna vers le bas, vers la mer, en faisant le moins de bruit possible. Pieds nus, il se déplaçait dans un frôlement léger. A l'abri du Cap, près de l'eau, il sortit les mocassins des poches de sa veste, les chaussa pour marcher sur les galets de la rive.

Plus loin, lorsqu'il fut bien sûr que personne ne le verrait ni ne l'entendrait de la maison blanche, il coupa sous la futaie et remonta sur la route.

Il revenait, lentement.

Il ne voulait voir personne.

Il marchait, régulier, la tête un peu baissée suivant son habitude. Il était empli de Marie, de cette journée, des paroles échangées. Tout se bousculait.

Il pensait aux lièvres, aux martres, aux loups-marins. Et aux oiseaux.

Il pensait aux pièges à castor qu'il avait

fabriqués, derrière sa cabane, près du barrage.

Il pensait à son père, et aux crevettes crues, qui étaient si bonnes, le matin, à la pêche.

Traversant la savane, il chercha vaguement des yeux cette herbe noire que ma mère Nod détestait, et qui faisait vomir. J'en apporterai à Marie, mais ce n'est pas le temps, je n'en vois pas encore, elle doit à peine sortir de terre, sous les armoises et les ciguës. Un buisson fleuri avait déjà le parfum des prunelles.

Quand il entra dans la sapinière, plus tard, il essaya de voir une corneille, ou un corbeau. Étrangement, il n'en aperçut pas. Près de la cabane, il vit enfin bouger quelque chose, au ciel, et c'étaient deux mouettes qui ramaient lentement en se laissant porter par les premiers courants d'air chaud de la saison.

Il s'assit, sur la souche devant la porte. Il se mit à penser à Marie. Elle a dit : à demain. Au même endroit. Je t'attendrai ici : c'est ce qu'elle a dit.

Un peu plus tard, il se leva et entra chez lui. Il ouvrit son sac et le vida sur la table.

Il prit un couteau, et se mit à manger les palourdes, une à une. Il but une tasse d'eau. Le livre était là, près de lui. Pierre le regardait. Il s'assit devant, et se mit à feuilleter les pages, l'une après l'autre, lentement. Quand il eut fini, il referma le livre.

Le lendemain, lorsqu'il revint près de la maison blanche, et se faufila entre les rochers pour atteindre la clairière, il trouva Marie, jouant avec des galets disposés en rangs, devant elle, et qu'elle déplaçait très vite, semblant procéder par un savant calcul ou un ordre mystérieux, d'elle seule connu, et qui la faisait grouper plusieurs pierres, puis les séparer, les réunir autrement, en écarter encore une, ou deux. Ses mains se mouvaient sans arrêt. Elle leva les yeux, dit : « C'est toi ! Bonjour, tu es venu ! »

Pierre dit : « Tiens, voilà le livre.

— Déjà ? Tu l'as lu ? Tu l'as commencé ?

— Non.

— Comment ça ?

— Je ne sais pas lire », dit Pierre. Il souriait.

IV

— Même les muets peuvent apprendre à lire, dit Marie. C'est facile : ils font un signe avec leurs doigts, pour chacune des lettres de l'alphabet. Alors tu vois, ça ne doit pas être si difficile pour quelqu'un qui parle... Il peut aller plus vite, lui, s'il écoute ce qu'on lui dit, et s'il se rappelle bien la forme de chaque lettre.

— Je ne dis pas que c'est difficile. Je ne sais pas, j'ai peur, un peu.

— Voilà. Tu as peur sans savoir.

— Quand on sait, on n'a plus peur.

— Oui, tu es sûr ? C'est curieux, ce que tu dis. Moi, quand je sais, je commence à avoir peur. Tiens : quand je sais que je dois aller voir le dentiste, par exemple. J'ai horreur du dentiste, j'ai peur aussi, et je préfère ne pas savoir quel jour je vais y aller. Sinon, j'en rêve la nuit.

— Je ne suis jamais allé chez le dentiste.

— Non ? Ça, alors !...

Marie regardait les lèvres de Pierre en faisant une moue. Elle ne croyait pas ce qu'il venait de dire. Elle lui fit ouvrir la bouche, « pour voir, rien que pour voir ! Ouvre ! ». Mais il riait tellement, qu'elle ne voyait pas bien. Enfin, après plusieurs essais, Pierre exhiba une dentition intacte, magnifique. Marie n'en revenait pas. Elle reprit : « Quand j'irai au village, avec elle, je m'arrangerai pour rapporter un livre pour toi, caché parmi les miens. Un abécédaire, ou un syllabaire ; c'est avec ça qu'on apprend à lire (elle s'en moque, elle ne voit rien). Elle me laisse acheter tous les livres que je veux, quand elle achète ses revues d'amour...

« Ah oui, bien sûr, tu ne sais pas ce que c'est ! dit Marie. Tu n'as pas idée, mon pauvre Pierre... Elle les dévore ; mais elle me fiche la paix. Elle dit : tu me laisses tranquille ! C'est elle, qui me laisse tranquille ! Certaines fois, elle est absente jusqu'à deux jours et deux nuits : c'est ce que j'aime le mieux. Quand j'ai faim, je me prends du lait, des œufs, aimes-tu les œufs crus ? Avec deux trous faits par une aiguille, on aspire, on les gobe ; c'est bon. Ou n'importe quoi, ce qu'elle me laisse dans le frigo. Il dit qu'elle va faire sa cure de cinéma (c'est parce qu'elle a travaillé au cinéma, dans le temps). Quand elle revient, si tu voyais les scènes qu'ils se font tous les deux ! C'est la seule chose embêtante, quand elle revient... Je suis contente quand elle s'habille pour partir, je sais que je serai heureuse, et longtemps ; mais je sais aussi qu'après... encore des cris !

— Les œufs crus, c'est comme les crevettes, c'est bon.

— Ici, au Cap, c'est encore plus agréable. Parce qu'ils partent tous les deux. Faire la fête, chez les voisins. Ceux-là, ceux d'à côté.

— Ceux qui ont les deux enfants ?

— Les deux niais, oui... »

Elle faisait une grimace dégoûtée. Pierre la regardait, il ouvrait de grands yeux, il essayait de savoir ce qu'elle voulait dire. En même temps, il trouvait que le visage de Marie avait une odeur de pommes sucrées, qui l'étonnait. Elle dit :

— Oh, laisse donc ! Tu sais bien que tu ne comprends pas tout !

— Mais tu as dit que tu m'expliques...

— Quoi : ils sont bêtes ! Voilà... De vrais bébés !

« Ils m'appellent l'orpheline, dit-elle. Ils ricanent. Ils me jettent des pierres. Un jour, l'année dernière, ils me sautent dessus et ils tirent sur ma robe pour l'enlever. J'étais petite, tu sais, l'année dernière ! Je me sauve, alors je prends un long bâton, je me cache, je leur saute dessus moi aussi. Paf ! Ils ont eu la volée de leur vie.

— Est-ce que les enfants sont méchants ?

— Naturellement. Et ils crient tout le temps, comme des fous, aussi.

« Un autre jour, dit Marie, ils faisaient la fête ; ça dure toute la nuit. Le matin, les deux idiots hurlaient. Je vais voir : ils sont dehors, ils pleurent comme des bébés. Sais-tu pourquoi ? Ils n'ont rien trouvé à manger dans la cuisine, ils ont peur, les pauvres niais ! J'entre dans la maison, je fais le tour de toutes les pièces. Tout est en désordre, il y a des bouteilles, des verres, de la vaisselle partout.

66

Et tout le monde dort, ils sont dans les chambres, en haut ; il y en a aussi en bas, je ne savais même pas qu'ils avaient invité d'autres voisins que je ne connaissais pas... Ils sont laids, je m'en vais, je laisse les deux imbéciles se débrouiller. Ils sont plus bêtes que deux souches. Voilà.

— Il faut beaucoup de temps, pour apprendre à lire ?

— Mais non ! Je ne sais pas, moi, je ne me souviens pas. J'étais petite, tu comprends...

« Si ça se trouve, tu ne sais même pas compter !

— Si, un peu.

— Ah oui ? Je parie que tu ne sais pas additionner, tiens. Combien ça fait, deux et deux ?...

« Voilà, dit Marie. C'est tout de même incroyable !

« Alors, tu n'es jamais allé à l'école ?

« Dis, tu réponds ? Il n'y avait pas d'école, au village ?

— Non, c'était au village voisin, dit Pierre. On venait chercher les enfants en carriole. Je crois, en carriole. Maintenant, il y a une école, et avec des autobus.

— Ça, je sais !...

« Et pourquoi pas toi ? dit-elle.

— Je ne me souviens pas. J'étais très petit, je ne me souviens pas. Mais je me souviens que le chemin n'était pas ouvert, parce que mon père allait loin, en raquettes, l'hiver, pour chercher des choses, de la nourriture, pour vendre des peaux. Il allait avec ma mère, des fois. Après, plus tard, quand les campeurs sont arrivés pour s'installer par là-bas, à la grève du bout de la Baie, on a ouvert le chemin ; un chemin pour l'été seulement. Mais j'étais déjà grand. Assez grand. C'est quand le Voyageur commençait à venir, près de la maison, avec sa camionnette. Des gens aussi, des chasseurs, des pêcheurs, venaient voir mon père. Pas souvent.

— Il aurait dû, dit Marie.

— Quoi ?

— T'envoyer à l'école. Je ne suis pas du tout contente de ton père, tu sais... Que disait-il, lui, à propos de l'école ? Et à propos d'apprendre à lire ?

— Je ne me souviens pas.

— Ils sont tous pareils. Ils lisent le journal, c'est tout !

— Tu crois que je pourrais lire le journal, moi ?

— Tu verras, tu lis le journal, c'est bête : il n'y a rien. Mais tu lis les livres, et alors là...

— Mon père ne lisait pas le journal, dit Pierre.

— Évidemment, perdu là-bas au fond du bois !

— Mais il avait une enveloppe, avec des morceaux de journal dedans... Il les sortait et il les lisait. Un peu, pas longtemps ; et il les remettait dans l'enveloppe, sans rien dire. Je me souviens de ça...

« Et l'enveloppe, je l'ai encore, dit Pierre.

— Et aucun livre, naturellement ?

— Alors moi, si je savais lire, j'ouvrirais aussi l'enveloppe et je saurais ce qu'il lisait. Après, il se taisait, il réfléchissait, ça je me souviens très bien. Même, il partait dans le bois tou' seul, longtemps, et nous l'attendions sans rien faire, ma mère et moi.

— Tu me l'apporteras, ton enveloppe, je te lirai ça. Et tu ne lui as jamais demandé : je veux apprendre à lire ? Et il ne t'en a jamais parlé ?

Les enfants que j'ai vus ne sont pas comme Marie. Ils pleurent avec de grands cris ; ils regardent partout ; ils font des grimaces. Ils bougent sans arrêt. Ils prennent une pierre, ils la jettent sur moi, de loin ; après, ils se sauvent ; avec des bâtons, ils se fouettent et cassent des branches, ils sont en colère.

Marie me regarde sans bouger. Pourquoi pleurait-elle ? On peut pleurer sans être blessée ; c'est ce qu'elle avait dit, ce jour-là...

Elle écoutait Pierre ; parfois, c'était sans avoir l'air. Comme on jette un coup d'œil parce qu'un bruit, soudain, attire et intrigue, elle semblait aller chercher, furtivement, quelques mots qui l'intéressaient. Elle les saisissait, vite, les apportait à sa propre pensée qu'ils faisaient rebondir et qui jamais ne semblait manquer d'allant. D'autres fois, elle observait Pierre avec précaution, parcourait les moindres détails de ses vêtements, de son visage, de ses mains. Ces fois-là, il se troublait un peu, s'arrêtait brusquement en une phrase. Elle s'en apercevait tout de suite et s'écartait, faisait semblant de s'intéresser à une herbe, à un arbre, au Golfe ou à un oiseau qui passait. Elle faisait exprès, pour que je me sente mieux : je le savais. Et je me sentais mieux : avec le goût de continuer, de parler, de raconter ; d'écouter surtout, d'écouter Marie.

Quand elle parlait de ses parents et rapportait leurs dires, elle prenait une petite voix enfantine, sans hauts ni bas, elle parlait très vite aussi, comme récitant des paroles sans suite et qui n'auraient rien signifié de précis. Un bruit. Une petite chanson de source, que Pierre trouvait comique et qui le faisait, chaque fois, rire. Au contraire, si elle expliquait, sa voix se faisait insistante, avec un chant modulé qui exagérait un peu les effets de ce qu'elle disait, comme pour bien faire comprendre où se trouvait l'important, pour elle, et combien cette importance était indiscutable. Le doute, on le voyait bien, l'aurait fâchée. Elle avait l'air d'un de ces *suisses,* ces minuscules écureuils roux et blancs, gros comme deux noix, lorsqu'ils se dressent sur leur derrière, bien à l'abri au haut d'une branche, et débitent un flot d'insultes crachotantes à l'adresse d'un intrus, pour le bien persuader que leur taille n'a rien à voir avec leur courage. Les *suisses* sont redoutables, par la voix. J'en ai vu qui faisaient fuir même les loups-cerviers.

— Tu as l'air embêté, terrible ! mon pauvre Pierre, dit-elle. Je vois bien que tu ne veux pas répondre.

— Tu sais tout, toi, dit Pierre.

— Mais non, quelle idée ! Je t'ai dit : parce que je sais lire. J'apprends ; alors j'explique, et toi ça t'épate.

— Moi, quand j'apprends, ensuite j'oublie. Quand j'entends la radio, je crois que j'ai appris quelque chose ; mais tout de suite après, j'oublie. Je me demande si j'ai compris, ça devient difficile, je ne sais plus.

— C'est parce que tu n'as pas bien commencé. Je te dis : la façon dont tu as été élevé, ce n'est pas brillant ! Il y a du chemin à faire ! Du temps perdu à rattraper ! Incroyable.

Pierre se taisait. Elle dit encore :

— Tu vois, moi non plus je n'avais pas bien commencé. Mais ça ne m'a pas empêchée de faire ce que je voulais. A la petite école, j'étais impossible (ils disaient) : « Tu es trop fière, Marie, arrête de te renfermer comme ça — Vous, arrêtez de me tutoyer ! — Regardez donc ! Pour qui se prend-elle ? » Et eux, donc, qu'est-ce qu'ils croyaient ! Ils étaient menteurs, ils inventaient tout le temps des trucs incroyables... Raisonneuse, ils m'appelaient : mais eux, ils discutaient tout le temps. Je te dis, des idiots. Depuis que je suis passée à la grande école, ils me fichent la paix ; il y a trop de monde, on ne s'occupe pas de toi. Alors je peux lire.

— Tu es bien mieux que la radio.

— J'espère !

— Depuis l'autre jour, je n'écoute presque plus. Ni hier ni avant-hier. C'est depuis que je t'ai parlé. J'ai tout le temps pensé à toi.

— Moi aussi, dit Marie. Le soir, et la nuit aussi. J'étais couchée, je ne lisais même pas mon livre. J'avais hâte d'être à demain. Tu sais pourquoi ? Pour te voir.

Un bruit de moteur, monotone martelait très lentement l'air, depuis quelques minutes. Cela semblait venir de l'eau. Marie tourna la tête : « Tu entends ? » Elle se leva, elle essaya de voir entre les arbres. « C'est la goélette, dit Pierre ; elle descend. Elle a pris la marée haute. » Il se levait aussi, il rejoignait Marie au bord de la pente ouverte vers le Fleuve.

Le bateau venait. Il glissait, ventru, sous les deux mâts courts. Les billots de bois, entassés, débordaient. Leur tas montait plus haut que la cabine de pilotage et l'air était si limpide que même à cette distance l'on pouvait apercevoir l'ombre du barreur dans sa cage vitrée. Le sillage de la goélette était une ligne sombre, bougeant mollement au ras de l'eau lisse

comme celle d'un étang. Des mouettes le sur-
veillaient, elles semblaient immobiles. A l'horizon, les Iles couchées mêlaient leurs formes
en une masse allongée, sombre, sur laquelle
on distinguait les taches plus claires d'une
grève lointaine ou d'une clairière. Marie regardait les Iles :

— J'aimerais bien y aller, dit-elle. On pourrait.

— Avec un bateau, dit Pierre. Ou alors l'hiver. Et pas souvent, tu sais !

— Ah. »

Elle rêvait. « Raconte-moi, dit-elle soudain.

— Quoi ?

— N'importe quoi. J'aime ça. Les animaux... » Elle regardait le Golfe, et elle semblait ne rien voir. Elle ne bougeait plus. C'était
comme l'autre jour, quand je l'avais vue près
de la clôture, et qu'elle pleurait. Elle avait aux
lèvres cette même petite moue : une ligne très
fine qui s'incurvait, à gauche, et se terminait
par un minuscule point vide. Elle fronçait un
peu les sourcils, elle clignait les paupières, au
soleil.

— Ce matin, j'ai vu le trou d'une belette, dit
Pierre. Une ancienne cache de lièvre...

« Après, je suis allé à la rivière, pour

de l'eau, et j'ai trouvé des œufs de tortue...

— Tu les as mangés ?

— Oui.

— C'est tout ? dit Marie, sans bouger. Tu ne racontes pas bien.

« Tu viendras, demain ?

— Naturellement.

Je voulais lui dire autre chose. Mais quoi ? Je la regardais. Elle ne me laissa pas le temps. Elle se retourna, elle semblait encore distraite. Et puis elle s'éveilla, brusquement ; en trois pas, elle fut de l'autre côté de la clairière. Elle s'engagea derrière un rocher. Elle tourna la tête vers Pierre, lui fit un signe de la main, elle s'enfuit. Il n'avait pas eu le temps d'y penser, qu'elle avait disparu.

V

— La première chose que j'ai apprise, dit Marie, ce sont les voyelles. Tu vas faire comme moi. Si tu sais les voyelles (et il n'y en a pas beaucoup), il te suffit de les attacher ensemble, et aux autres lettres, pour fabriquer tous les mots que tu veux !

« Ils ont marqué ce qu'il faut que je te dise, à chaque page. Alors tu comprends, je ne peux pas me tromper... C'est rudement bien expliqué, je n'ai qu'à lire (tu vois l'avantage !) et ensuite je t'apprends.

« Bon, les voyelles. Tiens - toi bien. Con-centre - toi. Reste assis, comme ça. Regarde : la première, c'est le *A*. Regarde bien. Tu vois ? *A*.

— C'est vrai ?

— Bien sûr ! C'est facile, non ? Jusqu'ici ! C'est en pointe vers le haut, avec une barre, comme... comme... une flèche ! C'est le *A* majuscule, le gros.

« Disons le gros, pour que tu comprennes ! La question des majuscules, je t'expliquerai où on doit les mettre. Pour le moment, retiens seulement le nom des lettres. Voilà le *a,* le vrai, le petit : un rond, avec une queue comme celle d'un chat. J'aimerais bien avoir un chat. »

Pierre se mit à rire. Il regarda Marie, mais elle était sérieuse, soudain ; docte, un peu hautaine, entrée dans un monde dont elle sentait l'importance. Sa bouche se pinçait, très fine, ses narines palpitaient, en rose. « Répète », dit-elle. Pierre répéta.

— A côté, un autre *a.* Celui-là, il sert pour les livres, et pour les journaux. Ce n'est pas pour écrire, ni toi ni moi ; c'est pour lire. Il y a toujours le chat, avec sa queue, mais il est plus beau, tu vois ? Son ventre, et sa tête en plus.

« Ils ont dessiné un chat, d'ailleurs, à côté. Ça, c'est intelligent ! Mais comme tu ne sais rien, on ne va pas apprendre le mot *chat,* parce

qu'alors, là, j'ai l'impression qu'on n'en sor-
tira pas !

— Bon, dit Pierre.

— Tu as compris ?

— Oui. Et ensuite ?

— Tu vas trop vite. Tu ne te rappelleras pas.

« Bon. Page suivante. Celle-là, c'est le *E*.
N'est-ce pas qu'on dirait une fourchette ?
C'est le *E* majuscule, le gros, comme le *A*
pointu de tout à l'heure. Voilà le vrai *e*. C'est
une boucle ; comme celles que tu fais avec une
corde, je suppose (quand tu veux faire un
nœud). Répète : *e, e…* », dit-elle. Pierre répéta.

— Et voilà le même, mais pour lire. La corde
est trop courte, on dirait, il en manque un
morceau. Mais c'est la même boucle.

« Tu as dit que tu voulais ! Tu l'as dit…
Alors, je t'apprends. Je t'ai prévenu que
c'était horriblement compliqué. D'un autre
côté, il faut que tu apprennes. Comment
peux-tu vivre, si tu ne sais pas lire ! »

Elle avait réfléchi durant trois jours. Quand
tu m'as dit ça ! Pas possible. J'étais étonnée,
tu parles ! *Je ne sais pas lire…* Paf ! Terrible !
Je ne savais plus quoi dire.

C'était vrai. Elle n'osait même pas me poser
d'autres questions. Et moi, je ne disais plus

rien non plus. Pierre semblait absorbé par une révélation qui lui serait venue, à lui, au même moment que son aveu, et dont toute l'importance soudain le pénétrait, parce qu'il voyait le grand étonnement de Marie. Il ne savait pas lire !

Elle emportait un secret, qui la fit rester silencieuse tout le jour et dont elle retourna, la nuit, chaque page lentement. Elle aurait pourtant dû s'en douter. Évidemment. Perdu comme il est. Jusqu'au sommeil.

Le lendemain, elle eut de brusques absences. Un geste qui s'interrompt. Une course, sur le gazon, qui ralentit et meurt, de rien ; avec une herbe qu'on arrache de la main. Ainsi : des fulgurances. Lorsqu'elle revit Pierre, lorsqu'il apparut, fidèle, à l'heure maintenant habituelle, et s'assit au même endroit derrière les rochers, elle le regarda sans rien dire. Ils parlèrent peu.

— Je ne sais pas ce que j'ai, disait-elle. Je te regarde. Voilà. Et je réfléchis. » Je lui demandais : raconte encore, j'aime t'écouter. Elle me répondait : « Oui, oui, attends, je n'ai pas envie beaucoup, tu sais. Je cherche. » Elle ne resta pas longtemps avec moi, elle s'en alla vite, après m'avoir simplement dit :

« Demain, tu verras. Viens ici, à la même heure, et j'aurai une surprise pour toi. »

L'après-midi suivant, elle avait un autre livre, avec de grandes lettres dessus, des dessins, des couleurs : « C'est un syllabaire, dit-elle. Tu vas voir. »

Pierre leva les yeux, et dit :

— J'ai compris. Il y a deux lettres : celles pour écrire, et celles pour lire.

— Et les majuscules, les grosses, dit Marie. Pour commencer une phrase, pour commencer un nom propre... Bah ! Ce n'est pas important. Oui.

— Et celles pour lire, il y en a sur les journaux.

— Naturellement !

— Je veux savoir celles des journaux. Continue.

Marie tourna la page du livre. Elle dit : « Voilà le *i*. C'est le plus drôle, il a un point dessus. C'est un chapeau. Non, c'est un bonhomme avec une tête. Voilà, répète ?

— Celui pour lire aussi ?

— Oui, regarde, il est encore plus simple.

— Bon. Ensuite ?

— Non, répète, voyons ! Ce n'est pas comme ça qu'on apprend ! Si tu ne travailles pas, cela

ne sert à rien ! » Elle s'énervait. Pierre dit :
« *i, i, i...* » Marie le regardait avec attention.
Elle dit : « Je suis sûre que tu as déjà oublié.
Tu vas voir. » Elle revint aux pages précé-
dentes, elle montra des lettres, et Pierre pro-
nonça : « *a* », puis « *e* ». Marie ne dit rien.

Tandis qu'elle semblait rêver, ou soupeser
ce que pouvait bien valoir sa méthode, Pierre
avança la main et se mit à feuilleter le livre, en
disant lentement, à voix basse, chaque fois la
bonne lettre. Puis il demanda : « Tu crois que
c'est comme ça qu'on apprend à lire ?

— Bien sûr !

— Bon. Continue, alors.

— Attends. Je vérifie si tout va bien... Ah
oui, c'est vrai ! Regarde : il y a une autre
façon de dire : *y*. Il faut que tu retiennes les
deux façons tout de suite.

— C'est *i* ?

— Oui. La même chose. Plus tard, tu verras que suivant les mots qu'on écrit, on
emploie l'un (celui-là), ou l'autre.

— Bon.

— Oui, bon, tu dis bon ! Tu dis toujours
bon ! J'ai l'impression que tu veux bien tout ce
que je veux, mais je me demande ce qui va te
rester de tout ça, moi !... Enfin, on continue.

« Voilà le *o*. C'est tout rond. Comme les lèvres, quand tu le prononces ; moi on m'a dit ça quand j'étais petite, et ça m'a bien amusée ! C'est le *o*, c'est le soleil. Essaie.

— Regarde, regarde : celle pour lire aussi, c'est tout rond !

— Je sais, dit Marie, voyons, je sais lire, moi ! »

Elle montra toutes les voyelles à Pierre, cet après-midi-là. Avec des explications concernant leurs formes, dont elle suivait le détail, de son doigt tendu, sur les pages du syllabaire.

Ils étaient si absorbés qu'ils ne virent ni le soleil qui tournait lentement et commençait à s'approcher des bandeaux de nuages, à l'horizon du Golfe, ni les vols de canards filant au ras des vagues ; qu'ils n'entendirent aucun des bruits du Cap, où s'agitaient pourtant les estivants.

Marie avait beau prendre les pages au hasard, sauter de l'une à l'autre, cacher avec la main les caractères d'imprimerie, ou les cursives, ou les majuscules, Pierre répondait parfaitement, chaque fois, par le son correct de chaque lettre. Lorsque Marie enfin ferma le livre, en déclarant que c'était assez pour aujourd'hui, Pierre s'aperçut qu'une brise s'était levée, et que la marée montait. Il était surpris.

« Il faudrait que tu écrives, dit Marie. Mais si je te donne tout de suite du papier et un crayon, quel travail ! Tu dois avoir les doigts gourds. Que vaut-il mieux : savoir toutes les lettres d'un coup, ou en écrire quelques-unes, pour voir ? A l'école, je me souviens... Et puis, il y a les groupes de lettres ; il faut vraiment les deux choses à la fois, pour comprendre... Voilà : je l'ai ! Attends-moi une minute ! »

Elle se leva, et s'en alla vers la maison blanche. Elle revint au bout d'un instant, avec une page de journal, qu'elle donna à Pierre. Elle était essoufflée.

Elle dit :

« Tu cherches toutes les lettres que tu connais, là-dedans. Il y en a beaucoup. Et tu me les montreras. Pour aujourd'hui, ce sera suffisant. Il faut être sûr que tu as compris, sinon tu n'y arriverais pas. Parce que c'est beaucoup plus difficile, demain. »

Ce jour-là, Pierre emporta le journal avec de grandes précautions. Il ramassait souvent des journaux, au camping, ou encore dans les poubelles que les estivants déposaient, une fois par semaine, devant chacune des maisons du Cap, le long de la route. Il s'en servait pour toutes sortes de choses : pour envelopper ses chasses ou ses pêches ; pour faire du feu ; pour conserver les graines de son potager, jusqu'au printemps. Il regardait les pages avec une grande curiosité : il étudiait soigneusement les quelques photographies qu'elles contenaient, parfois en couleur et il les aimait beaucoup, elles étaient presque toujours un mystère dont de longues vagues de réflexion prolongeaient le plaisir durant des jours. Lorsqu'il avait enfin établi une conclusion, sur ce que devait représenter la photographie, alors il consentait à utiliser, ou à brûler le journal. Mais cette fois ! Il osait à peine serrer le papier entre ses doigts. Il s'en allait, le transportant avec de grandes précautions, vers la cabane comme une cachette sûre.

En marchant, il regardait parfois des lettres, qu'il reconnaissait. Il les nommait à voix basse. Leur vue accélérait ses pas. Lorsqu'il arriva chez lui, il s'assit et déposa le journal par terre, bien étalé à la dernière clarté de l'après-midi. C'est vrai qu'il y a beaucoup de lettres comme celles que Marie m'a montrées. A chaque ligne, et tout près les unes des autres. Toutes côte à côte, serrées... Il s'étourdissait. Silencieusement, il riait.

La nuit le surprit. Encore une autre de ces choses qui lui arrivaient de façon insolite, depuis quelques jours. Il se coucha sans manger ni boire, laissant le journal au pied de son lit, sur une tablette basse qui prolongeait sa couche. La première chose qu'il vit, le lendemain matin, en s'éveillant, ce fut lui ; les lettres jaillissaient du papier, elles lui sautaient au visage, et il les prononçait.

Sa voix même l'étonna, et les sons appliqués, clairs, précis, qui en sortaient. Il se tut. Il écouta un certain temps les éclats des corneilles. Il était assis sur sa couverture. Puis il reprit : « a... a... a... e... a... i... e... e », et ainsi de suite. Il sortit de la cabane et se dirigea vers l'eau, humant l'odeur de varech et de terre, qui monte lorsque la marée est basse, avec le parfum de cendre des sauges de la rive.

Deux mouettes, sur un rocher, se disputaient quelque chose en criaillant. Le barrage de fascines était à sec, sauf à l'extrémité : le goulet baignait dans une eau peu profonde où s'agitaient des harengs. Il y a peut-être un esturgeon, avec ces mouvements de serpent ; ou alors une anguille. Au sommet de gros piquets qui retenaient, de place en place, la ligne de fascines, des goélands, perchés tête tordue, guettaient le poisson, mais toute cette agitation des eaux les inquiétait. Ils vont finir par se décider, et tout manger. Il aurait fallu y aller, et vider le haut-parc. Mais pour la première fois de sa vie Pierre regardait l'évidence d'une prise sans faire le moindre mouvement. Il laissait passer le temps. Il n'avait envie de rien et se sentait heureux, d'une indolence et d'une indulgence nouvelles.

L'esturgeon, c'est lui qui vit le plus longtemps hors de l'eau. Des fois, une heure ou deux, peut-être... J'en ai souvent écorché. On pend le poisson tête en bas, très fort, à un arbre. On coupe d'abord la peau tout autour de la queue, on la retrousse comme une chaussette, et on tire vers le bas. La chair apparaît toute rose, peu à peu on descend. C'est dur, il faut forcer à grands coups de bras. Quand on a fini, on coupe la tête au bout de la peau comme un boudin vide. Et alors j'en ai vu, certains, qui se mettaient à bondir et à se débattre au bout de leur corde. Sans tête et sans peau ! Marie dit : *Est-ce que les poissons souffrent, quand on les tue ?*

Cela lui était égal : la première de toutes les lettres, c'était le *A*. Il le savait déjà, hier. Il le savait depuis longtemps. Tout le monde sait que la première des lettres est le *A*. A la radio, parfois, il entendait des choses... Mais aujourd'hui Pierre connaissait exactement la forme du *A*. Il y avait même trois formes différentes, il les connaissait. Pierre s'accroupit. Il nettoya, à ses pieds, une petite surface de sable, avec sa main. Quand ce fut bien propre, il dessina dans le sable les trois formes, lentement, en rectifiant plusieurs fois ses mouvements trop brusques.

Il regarda son œuvre et sourit. Toute la surface était prise par les lettres. Il nettoya encore, et ce furent ensuite le *e,* et les autres voyelles. Il y avait beaucoup de signes, sur le sable, ils étaient mal alignés, irréguliers, encombrés de graviers. Les oiseaux laissent leurs traces sur la grève, mais, oiseaux, vous n'écrivez pas ! Vos traces ne veulent dire qu'une chose : que vous êtes passés par là, oiseaux ! Rien de plus. Et moi, alors, je peux vous tendre un piège. Tandis que devant

Pierre, il y avait une trace nouvelle, et qui parlait. Il se mit à rire.

Il retroussa son pantalon jusqu'aux cuisses, et entra dans la boue de la batture, s'avança vers l'eau, atteignit le goulet, essaya d'apercevoir, dans le fond du haut-parc, ce qui bougeait tant. Ce n'était qu'une grosse anguille, et les goélands s'envolèrent tous d'un coup.

Il s'aperçut qu'il n'avait même rien emporté pour vider le parc, et dut revenir à la cabane, y prendre une épuisette, un seau, un épieu, avec lesquels il se mit à travailler.

Il trouva quelques crevettes, qu'il mangea ; il leur enlevait la tête, la pinçant entre deux doigts, et engloutissait le reste, carapace et pattes entre lesquelles nichaient des grappes d'œufs verts.

Quand il revint vers la rive, l'eau déjà entamait sa montée. Les lettres, sur le sable, ne resteraient pas longtemps. Il les appela par leur nom, toutes, et gagna la cabane.

VI

Pierre sortit de son sac quelques petites tiges tendres, qui ressemblaient à des asperges dont la base, noueuse, s'ornait encore de quelques radicelles. Il dit :

— Je t'ai apporté des queues-de-renard.

— C'est quoi ?

— Ça pousse au bord d'une source, près de chez moi, au milieu des pierres. Ma mère Nod en avait toujours, séchées.

— C'est bon ? Au bout, il y a un petit bouquet comme un bourgeon.

— C'est bon, et c'est très mauvais. Tu as dit : j'aime mieux des mauvaises, pour voir. Alors je t'ai apporté celle-là.

— Explique-moi j'adore ça !

— Si tu l'épluches, avec un couteau, tu manges le dedans. Mais au printemps, seulement ; maintenant, quand c'est tendre, c'est encore bon. Si tu la laisses sécher, alors tu la fais bouillir dans l'eau. Tu bois l'eau. Et tu es très malade. Tu as mal partout, surtout au ventre. A la fin, ça fait sortir tout ce que tu as mangé. C'est une purge.

— Terrible ! Terrible ! Marie jubilait. Elle tenait dressée l'une des petites tiges, divisée en sections séparées par un nœud, comme un minuscule bambou, elle la tournait et la retournait devant ses yeux. Elle dit : « Ce que je pourrais faire avec ça ! Tiens, ça me fait rire ! C'est inouï, je te dis ! Tu es formidable, Pierre !

« Et c'est bon quand même, quand c'est frais ? dit-elle.

— Oui. Les Indiens en mangeaient, s'ils n'avaient rien d'autre. Ma mère Nod disait qu'ils en avaient donné à sa mère, pour faire sortir ma mère Nod de son ventre. Et sa mère avait été très malade. Mais ma mère Nod n'était pas sortie : elle avait grossi jusqu'à sa naissance, et ses frères n'étaient pas contents. Alors, tu vois, peut-être que ce n'est pas si mauvais qu'on dit...

Marie dit :

— Ça ne fait rien, c'est intéressant. Tu devrais me raconter, pour ta mère. Elle était vraiment indienne ?

— Seulement la moitié. L'autre moitié, elle était Inuit, Eskimo.

— Raconte, je te dis ! On travaillera après, et moi aussi j'ai une surprise, quelque chose pour toi. Mais parle-moi de ta mère, d'abord. Tu ne ressembles pas à un Eskimo, je te jure !

Pierre referma son sac, il mit les tiges de queue-de-renard sur le sol. Il réfléchit un instant, absorbé aussi par ce qu'il faisait : entasser soigneusement les plantes pour en faire une petite botte. Il dit : « Ma mère et mon père, ils ne sont pas enterrés. Si on n'est pas enterré, on n'est pas mort. C'est ma mère Nod qui le disait; beaucoup de fois...

— Ah oui ?

— Elle disait que le guerrier, alors, se promène sans fin, toujours, dans les marais du milieu des forêts, ou alors sur les monts Chikchok, au sud d'ici. L'hiver, c'est là que se rassemblent ceux qui ne sont pas enterrés. L'été, c'est dans les battures du bord de l'eau.

Quand je me réveille la nuit, je vais parfois écouter, près des battures. Ce sont des endroits remplis d'âmes qui cherchent le repos. Je n'entends rien. Mais je pense à mes parents.

— Et tu es triste. Comme moi, aussi. Mais je ne savais pas ; c'est une belle légende. La nuit, j'irai voir au bord de la falaise, si je me réveille. Il y a une petite batture, devant la maison, juste là, en bas. Je penserai à mes parents, et aussi à toi.

— Mon père disait que c'étaient des contes d'Inuit ou de Montagnais, et il riait. Il disait aussi que c'était Sang-de-phoque qui parlait par la bouche de ma mère. Alors ma mère Nod se fâchait et crachait par terre, et mon père se calmait.

— Qui est Sang-de-phoque ?

— C'est l'autre nom de ma mère Nod. Le nom qu'elle avait reçu quand elle vivait à la Réserve. C'est mon père qui l'avait appelée Nod. Parce qu'elle n'aimait pas son vrai nom : Sang-de-phoque.

— Tu vois, moi non plus je n'aime pas mon nom. Marie !...

— C'est beau, Marie.

— Mais non ! C'est leur nom, à eux. C'est

un nom bête. Peut-être que j'ai un autre nom, moi aussi, comme ta mère. »

Pierre ne savait que répondre, cette fois, parce qu'il regardait Marie, et que la beauté de ses yeux se confondait, soudain, avec la tristesse. Elle respirait lentement, par sa bouche entr'ouverte, et il entendait parfaitement le minuscule bruissement que faisait l'air, passant entre les deux rangées de dents, très petites, dont il pouvait voir seulement les tranchants comme deux alignements très droits, bordés par les lèvres fines. Elle fermait la bouche, imperceptiblement, elle expirait par le nez, narines vibrantes, elle se raclait un peu la gorge, entr'ouvrait de nouveau les lèvres, recommençait. Pierre pensait que *la Noire,* aussi, était un joli nom. *On ne m'appelle pas la Noire!* Alors, il se mit à raconter, en essayant de bien se souvenir depuis le début, depuis la Réserve. Pour Marie.

Tous les ans, entre août et septembre, la bande de Montagnais partait à la chasse aux fourrures, vers l'intérieur des terres. Ma mère Nod me l'avait raconté, dix fois. Hommes, femmes, enfants, ils quittaient tous la Réserve de la côte, ne laissant que quelques vieillards, et s'enfonçaient au cœur de cette terre que les blancs, paraît-il, avaient appelée la Terre de Caïn ; vers le nord, vers les toundras, vers le gibier. Ils ne reviendraient que sept mois plus tard, allant très loin, parcourant des espaces sans fin. Quelques-uns redescendraient peut-être au milieu de l'hiver, s'ils manquaient de nourriture ou s'ils avaient un mort à enterrer : un enfant, souvent, aux chairs gelées de bleu, et qu'il fallait ramener au village. La bande, elle, continuait.

Déguenillés, braillards, ils riaient à tout moment, du moindre incident, de la moindre aventure, de la chasse, de leurs blessures, de leurs amours. La horde souvent s'étendait en une longue file, d'un horizon à l'autre, comme un immense ver de terre tronçonné, grouillant. Parfois, on rencontrait un chasseur ascuapis, ou Inuit, un de ceux qui s'en vont, seuls, très loin au sud, pour chasser le phoque. Alors, on comparait les traîneaux, les *cométiques* traînés par les Indiens et le long traîneau à ambines de l'Eskimo. Les chiens hurlaient, se battaient, certains se tuaient, si on ne faisait pas attention. Mais on riait encore, parce qu'il s'était passé quelque chose.

Une année, l'un de ces Nascuapis se plut avec la bande. On l'avait aperçu de très loin, qui s'approchait en faisant de grands gestes. Il avait un épieu magnifique, dont il tuait un phoque d'un coup précis, à la nuque. Il parlait le montagnais. Il était seul. Il choisit une femme, et l'aima. Le frère de cette femme, une nuit, saisit l'épieu et tua le Nascuapis, durant son sommeil, d'un coup précis, à la nuque. La femme, à ses côtés, hurla toute la journée du lendemain, parce qu'elle ne voulait pas quitter le cadavre, sang vidé, abandonné dans la toundra. Alors le frère emmena la femme, de force. « Je sais que le Nascuapis n'est pas mort, et qu'il se promène sur les battures, dans la montagne, au creux des marais. Il cherche le frère de ma mère », disait Nod.

Elle naquit au mois d'août suivant, à la Réserve. Les Indiens la nommèrent Sang-de-phoque, par moquerie du Nascuapis, mangeur de graisse de loup-marin. Jamais plus la femme ni l'enfant n'allèrent à la chasse. La bande ne voulait pas d'elles. Elles étaient porteuses de mauvaise chance. Alors, elles passaient les hivers avec les vieux et les infirmes, face aux glaces et aux courants du

Golfe, face au soleil et aux vents du sud qu'on attendait si longtemps. La femme ruminait, elle faisait de longs détours pour éviter le cimetière, et Sang-de-phoque grandissait. La jeune fille avait de longs cheveux noirs qu'elle attachait en chignon, avec une courroie.

Ainsi, il la vit. Un hiver, alors qu'il chassait le vison et la martre, dont il avait déjà provision. Il venait de très loin, de plus loin que le sud, d'un pays que personne ne connaissait. Il était roux comme une bruyère enflammée.

Il arrêta son cométique dans la Réserve. Il parla aux vieux, il se reposa. Sang-de-phoque avait quatorze ans, peut-être quinze, elle tournait autour de lui, de son chien, de son traîneau. Elle voulait toucher à tout.

Il connaissait bien les Montagnais ; leur langue, un peu, et leurs coutumes. Il parlait à la femme, elle riait, lui aussi. Mais il savait que rien ne serait simple. Que malgré les palabres, et les rires, et les cadeaux, il faudrait mettre beaucoup de distance entre lui et eux. Et avoir un bon fusil, pour le cas.

Il donna tout ce qu'il avait à la jeune fille : un couteau ; du sucre ; il lui mit des mocas-

sins neufs ; et, lorsqu'il sut un peu de son histoire, par les vieillards à demi endormis
d'herbe, il lui donna aussi un nom. Il dit :
« Je t'appellerai Nod. Monte dans mon traîneau. »

Le chien, l'homme aux cheveux de bruyère
et Sang-de-phoque, assise à l'arrière du
comètique, s'en vont vers l'ouest, puis vers le
sud, vers le plus bas du Bas-du-Fleuve, pour
y trouver un bon passage de glace solide. S'il
y en a un.

— Quand tu vas dans le Golfe l'hiver, dit
Pierre, en janvier, c'est le plus mauvais
moment, parce qu'il y a du *frasil*.

— Qu'est-ce que c'est ? dit Marie.

— Ni de l'eau, ni de la glace, ni de la neige.
Ni solide, ni liquide. Ni en bateau, ni en traîneau, ni en raquettes, tu ne peux passer.
Ça enfonce. Si tu as un bateau, ça se colle à
la coque, ça serre, ça bloque tout. Alors, si tu
rencontres le frasil, va-t'en vite. Il y en a aussi
loin que la vue peut porter. Reviens sur tes
pas. Il faut s'enfuir. Les marins d'ici, parfois,
réussissent à passer parce qu'ils ont des canots
énormes, et qu'ils sont très nombreux à pous-
ser, à tirer, à ramer, tous ensemble. Mais ils
n'y vont pas souvent... Moi, j'ai rencontré

deux ou trois fois le frasil, j'ai failli y rester, chaque fois.

Un hiver, il s'était attardé sur les Iles-aux-Ours, parce que la chasse avait été bonne. Il avait trouvé du vison noir, et six belles peaux vertes s'entassaient au fond de son traîneau. Mais, au retour, la barrière de frasil s'établissait lentement. Il l'avait aperçue, barrant le Bas-du-Fleuve presque en son entier, une surface plus sombre que la glace normale, avec d'immenses reflets verdâtres, menaçants, et qui s'en allait à perte de vue jusque devant la Baie-des-Épaulards.

Il avait dû tirer son traîneau vers l'amont, très loin. Il suait. Ce chemin familier, qui d'habitude lui demandait trois ou quatre heures, il le fit en dix, réussissant par un ample crochet à contourner cette chose, dont la présence l'obsédait mais dans laquelle il ne put cependant éviter quelques enlisements.

Il atteignit enfin la glace ferme, très haut dans la Baie, et mit encore deux heures à descendre, le long de la rive, jusqu'à la cabane où il arriva mort de fatigue. Il avait mâché et remâché une couenne de phoque pour toute nourriture, et il se coucha deux jours. Ses yeux se perdaient, lorsqu'il se souvenait. Il contait son aventure, et Marie s'y fascinait.

— Il y avait des dizaines de loups-marins sur le Golfe. Ils jouaient. Les mères attrapaient leurs petits à pleine gueule, elles les jetaient sur les glaces. Ils recommençaient à glisser et à plonger. Pour jouer, tu sais... Moi, je passais. Tout près. Je n'avais pas le temps de les chasser, et eux, ils le savaient. C'est pour ça qu'ils jouaient. Ils savent tout.

Certains hivers, comme celui-là, rien n'arrivait que d'étrange, et d'hostile. Le froid ne réussissait pas à s'établir. Des airs chauds soudain s'éveillaient, surprenants. La glace était de couleurs mouvantes. A la caresse des vents d'ouest, cléments, des vents de la terre, elle s'amollissait et verdissait. On croyait au dégel. Mais c'était janvier. Le lendemain, le *nordet* reprenait son chant sifflant, crevé des cris des goélands, et la banquise raidissait, de nouveau, le long des côtes qu'elle déchire. Le *nordet* souffle toujours trois jours, pas un de moins. Après, il se calme ; et la tempête de neige tourbillonnait une semaine. Puis, un matin, le ciel vidé de son moindre flocon s'éveillait bleu dans les yeux de Pierre qu'éblouissait tant de lumière. Il fallait regarder la terre et les arbres, ou être aveugle. Et le soir une boule de feu descendait de tout ce bleu, au nord-ouest, lentement, le soleil tombait en couperet dans la glace du Golfe, et tout saignait. Le chaos des énormes banquises éclatait d'escarbilles, de diamants, d'émeraudes, de saphirs.

La nuit, parfois, des loups traversaient toute la Baie, venus du nord, de l'autre rive, derrière les Iles. Attirés sans doute par une odeur que les vents fous avaient amenée de loin, diffuse, énervante. On les entendait hurler la faim. Comment avaient-ils pu traverser ? Et puis, le lendemain, tout se défaisait encore : la Baie et le Golfe grouillaient de courants, de rapides d'eau entre les banquises flottantes, de frasil et de loups-marins, de milliers de tourbillons de neige tournant autour des bittes de glace vive, de congères immenses comme des dunes d'où jaillissaient des troncs de sapin, noirs, hirsutes, dressés en angles vers le ciel, jusqu'à l'horizon des trois côtés du monde, blanc, blanc, blanc. C'était beau comme l'enfer. « C'était comme ça, quand mon père et ma mère Nod ont traversé le Golfe. »

Devant les Iles-aux-Ours, on dirait que c'est possible, et que tous les chenaux sont fermés,

solides. Ils se jetèrent à la glace. La petite Nod
descendit, et tira elle aussi les attelages tendus
par le chien qui trébuchait, comme elle. Personne n'ira nous chercher de l'autre côté, au
sud, et s'ils viennent, je les attends. Ils arri-
vèrent à la Baie-des-Épaulards. La cabane de
l'homme était rudimentaire, ils entreprirent
tous deux de l'agrandir. Deux ans après,
Pierre naquit.

Marie dit :

— Alors, tu parlais indien, avec ta mère.

— Oui, un peu. Quand j'étais très petit, je
me souviens que mes parents se parlaient
dans la langue des Montagnais. Et moi aussi.
Peu à peu, quand je grandissais, j'ai parlé les
deux langues, et ma mère Nod aussi. Après,
quand je suis resté tout seul, j'avais presque
oublié le montagnais, et je ne parlais qu'avec
les gens d'ici, les pêcheurs du village, s'ils
venaient ; les chasseurs, le Voyageur, les campeurs...

— Dis-moi quelque chose, en indien !

— Quoi ?

— N'importe quoi. Ce que tu veux.

— *Quâ-quâ-sut !*

— C'est drôle ! Et ça veut dire ?

— Le diable de la forêt. Tu sais, le carcajou. Celui-là, tous les Indiens le détestent.

— Pourquoi ?

— Il casse tout, tout ce qu'il trouve. Il mange tout. Si tu mets des pièges, il les fait sauter. Il est meilleur que tous les chasseurs, il tue ce qu'il veut, et il mange ! Beaucoup, beaucoup. C'est pour ça qu'on l'appelle le glouton, aussi. Même, il peut attaquer un caribou. Et après, quand il a fini, il gâte tout ce qui reste : il le salit.

— Mais il est fou, ton animal !

— *Quâ-quâ-sut !* Par ici, il n'y en a pas beaucoup, heureusement. J'en ai tué un, un seul.

— Voilà...

— Tu ne dis rien, pour avoir tué le carcajou.

— Peut-être que tu as bien fait... Si c'est vrai, qu'il est si méchant, dit Marie.

— Apprends-moi d'autres lettres, dit Pierre.

— Attends. Regarde ce que j'ai. C'est du papier, un cahier ; et deux crayons. Enfin : un crayon avec une mine, tu sauras le tailler, j'espère, avec ton couteau, et aussi une pointe qui donne de l'encre. Il y en a pour longtemps, tu verras. Tu es content ?

— Merci. J'en ai déjà vu, tu sais.

— Tu écriras toutes les lettres que je t'apprends toutes. Il faut. Et puis les syllabes, les sons. Sans en oublier un seul. Et tu garderas ça précieusement, pour le relire, pour le recopier, le plus de fois que tu pourras. C'est pour t'exercer.

— Et s'ils sont usés, j'en aurai d'autres, par le Voyageur.

— Oh, je t'en donnerai d'autres ! Commence par ceux-là.

Il tenait le cahier et les crayons comme une offrande, devant lui. Elle dit : « Essaye, tiens. Commence par les voyelles. Tu veux bien ? »

Elle l'aida à disposer le papier sur ses genoux, à prendre correctement le crayon de bois, elle montra le début de la première page, et il écrivit. Il fit maladroitement un *A,* puis les deux autres.

Elle regardait la page, et n'en revenait pas. Sans un mot, il continuait, alignant les voyelles.

— Eh bien, dis donc, tu as du talent ! C'est fantastique !

Il s'arrêta et dit :

— J'avais déjà écrit. Sur le sable. Chez moi, là-bas.

— Voilà.

— Voilà, dit-il en riant.

Marie se ressaisit : « Bon, alors, écoute, dit-elle : il faudra faire une ligne de chaque lettre hein ? Pour bien les dessiner. Plus tu en fais, plus tu sais les faire.

— Plus vite tu sais écrire », dit Pierre.

Il s'installa plus commodément, serrait le crayon mieux, essayait d'autres positions des doigts. Il réussit peu à peu le *e,* en progressant vers la droite. Il arriva au bout de la ligne, entreprit la suivante avec un *i.* Il trouva le point trop faible, il insista, fit une marque trop grosse. Marie dit :

— Évidemment, il faut une gomme ! Je suis bête. Je lui en volerai une, il en a plein. Mais j'aurai mieux, pour toi. Je te donnerai un livre spécial, avec des pages blanches, toutes prêtes, devant les pages écrites, qui te servent de modèle... Tu le rempliras, tout entier. A la fin, tu sauras écrire.

— Et lire ?

— Naturellement ! C'est une surprise que je voulais te faire, mais tu travailles si bien que je ne peux pas garder le secret...

« Patiente, dit-elle, tu verras. On ira au village, un de ces jours, et je m'arrangerai pour trouver ce qu'il faut : des cahiers, des livres, tout !

— Il faudra beaucoup de temps, dit Pierre. Tu viendras ?

— Tous les après-midi, si tu veux.

Elle était blanche, je voyais bouger le sang sous la peau de ses joues et de son cou. Elle viendrait tous les jours, ici, et elle me montrerait toutes les lettres. Pierre souriait, et ses yeux s'étaient arrêtés sur Marie ; il ne pouvait plus bouger. Le crayon à la main, il la regardait. « Tu es petite, dit-il enfin ; tu bouges toujours, c'est comme le visage d'un raton-laveur. » Elle éclatait de rire :

— Dis donc, toi !

— Oui oui, dit-il, une petite femelle... C'est très petit et très nerveux. Ça bouge. Elle est dans son trou, elle remue la figure. Elle attend que lui, il revienne, pendant toutes les nuits de février.

— Il dit que je suis laide, à cause de mes oreilles. Tu n'as pas remarqué ? Il y en a une plus grosse que l'autre.

— Oui.

— Mais si je la cache un peu avec le bas de mes cheveux, et si tu ne me regardes pas tout à fait en face, tu ne t'aperçois pas.

— Si.

— Ah.

— La ratonne aussi. Et lui, il va, il vient, il déplace tout ce qu'il trouve. Toute la nuit, il fouille les trous d'arbre, les cavernes sous la neige. Le matin, il revient. Elle est belle, la ratonne, tu sais.

VII

Ils se rencontraient donc, Pierre et Marie,
chaque jour. Près de la grande maison
blanche, dans cette sorte d'enclos, comme une
clairière que faisaient des rochers gris, plantés
de guingois dans le sable et l'herbe.

Ils passaient entre deux gros blocs de gra-
nit, par un étroit goulet, et se trouvant
presque enfermés, de trois côtés, par cet
ancien éboulis d'une moraine. Le qua-
trième côté de leur domaine, c'étaient des
arbres, cèdres, trembles, coudriers, et derrière leurs branches : le Golfe, toute cette
eau plane jusqu'à l'horizon où l'on aperce-

vait, les jours clairs, une partie des forêts des Iles-aux-Ours.

Nul ne pouvait les voir dans cette conque de roches ; il eût fallu se glisser comme eux, par l'étroit passage, ou bien s'approcher par le rivage en contrebas des arbres. Mais la pente était raide à travers les troncs et les taillis, et l'on eût entendu venir. Pierre pourrait se sauver par là, s'il le fallait, dévaler le promontoire et, suivant le bord de l'eau, s'éloigner autant qu'il le voudrait. C'est ce que Marie avait dit.

Il arrivait souvent par le chemin du Cap, et parfois elle l'attendait devant la maison blanche, près de la clôture. De loin, elle le saluait de la main. Puis tous deux contournaient le terrain boisé et se glissaient derrière les roches.

D'autres jours, comme aujourd'hui, il prenait par le bas, par l'eau, grimpait lentement la pente, et débouchait au centre de l'éboulis.

Dans mon sac, il y a le cahier sur lequel je m'exerce à écrire ; des crayons ; une gomme ; un syllabaire ; et même ce livre que Marie m'avait promis, et dans lequel des lignes blanches peuvent se remplir de lettres, de sons, de mots peut-être... Bientôt ? Lorsque Marie le voyait ouvrir le sac, elle disait : « Au moins, tu as l'air d'un écolier, et pas d'un sauvage. » Et elle approuvait.

Pierre posa son bagage à terre, près d'un petit vinaigrier, et attendit quelques instants. Il se ravisa, et décida d'aller voir si Marie était au bord du chemin : non.

Il revint aux rochers, et s'assit, pour l'attendre.

Des nappes de brume s'effilaient, basses et longues entre les branches. Elles cachaient parfois tout un côté du Golfe, puis lentement le découvraient, recommençaient plus loin. Pierre suivait des yeux les courants sinueux de leur vapeur blanche ; elle s'effondrait au sol et s'accrochait à l'herbe ; la dentelle humide des fougères se constellait de ces délicats éphémères que la moiteur de l'été abat paresseusement sur la moindre feuille.

Une sirène de brume, à la pointe extrême du Cap, soufflait régulièrement depuis le matin, son système automatique un peu affolé sans doute par les brouillards arrivant en épais paquets, puis s'étirant, dégageant un ciel clair, et recommençant l'heure suivante.

Pierre attendait. Un gros chêne sentait le cuir, de toutes ses branches humides.

Dans le cahier, déjà, il restait peu de feuilles blanches. L'écriture s'allongeait et les lignes se suivaient. Les lettres et les groupes de lettres devenaient de plus en plus réguliers, en même temps qu'ils rapetissaient au fil des pages.

Tous les jours, Marie demandait à voir, feuilletait, corrigeait. Elle ajoutait un nouvel exercice, que Pierre devait copier et qu'elle inventait, pensive, le bout du crayon frappant ses dents à petits coups rythmés tandis qu'elle réfléchissait. Elle disait : « Tiens, voilà. Aujourd'hui, tu écriras ça. Lis voir ?... Bon. Alors, tu en feras deux lignes entières. En même temps, tu prononces, n'oublie pas de prononcer... Tu vas avoir l'air ridicule de parler tout seul ! Tu m'as dit que tu parlais tout seul, d'ailleurs, alors... Et plus bas, tu écriras ce que nous allons apprendre tout à l'heure. Je range ton cahier, pour le moment. J'aime bien ton sac en bouleau.

— Je te le donne.

— Et puis quoi, encore !

— Je peux en faire un pour toi. Tout neuf. Si tu veux.

— Non, Pierre, merci, mais il vaut mieux pas. Elle dirait qu'il est laid, ou n'importe quoi. Elle le jetterait, je suis sûre, un jour, comme ça, pour rien; elle le brûlerait. Moi, j'aurais de la peine parce que je penserais à toi, j'enragerais. Elle n'aime rien mieux que jeter des choses! Tout ce qui lui tombe sous la main. Elle jette même ce qu'elle avait acheté, si ça lui chante! Lui, c'est le contraire : il ne jette jamais rien, il garde toutes sortes de cochonneries, elle dit je l'ai foutu en l'air, tiens! à quoi ça servait! Il se fâche, et ça recommence : les cris... Non, garde ton sac. Je préfère pas. »

La première fois que j'ai vu Marie, elle pleurait. C'étaient des secousses, de tout son corps ; elle se retenait ; elle fermait les paupières, et les rouvrait, à petits coups, pour arrêter les larmes, qu'elle a essuyées ensuite, avec sa main.

D'abord, j'ai pensé que ses parents l'avaient battue, comme mon père me battait parfois. Mais elle a dit que ce n'était rien. Elle s'en moque. Et elle était loin de la maison, autour d'elle il n'y avait personne. Personne. Alors, pourquoi ?

Où est-elle donc ?

Si j'allais voir, près de la maison ? Sans entrer. Sans faire de bruit. J'écouterais.

L'après-midi filait silencieusement sa chaleur moite. Des chiens, quelque part, aboyaient.

Jamais Marie n'avait tardé ainsi à le rejoindre. Ils sont peut-être partis. La voiture est-elle là, près de la maison ? Pierre n'y tenait plus. Il se glissa entre les roches, sortit au découvert et regarda autour de lui.

Aucun bruit, pas de mouvement, les abords de la maison étaient immobiles.

Il revint dans sa clairière de pierre, se rassit. Il attendit encore. Il avait chaud, il ouvrit le col de sa chemise de toile, qui collait à la peau. Il se remit à penser à Marie.

Elle disait : « Il y a des rues, asphaltées, beaucoup de rues. Quoi, c'est une ville ! Et des voitures. Il y en a partout. Et des tas de gratte-ciel, tous entassés côte à côte. Tu regardes en l'air pour voir le ciel, tu le vois à peine. Mon pauvre Pierre, il n'y a même pas d'oiseaux, des arbres rabougris dans un petit parc, c'est ridicule. Tu as bien de la chance de ne pas connaître ça, toi, et ça t'intéresse ? On voit bien que tu n'y es pas !

« On vient ici, l'été... C'est le seul bon

moment de l'année, je t'assure ! Le reste du temps : des métros, des monorails, des autobus, des saletés. Voilà.

— Moi, je voudrais voir un train.

— Qu'est-ce que tu dis ?

— Un train, tu sais bien, un train qui va sur une voie de chemin de fer. J'en ai entendu parler, souvent. J'ai même vu une photographie, sur un journal... Plusieurs. C'était gros comme une maison, n'est-ce pas ?

— N'exagérons rien. Une petite maison. La locomotive, oui. Oh, et les wagons aussi, après tout. Tu n'as jamais vu de train ? C'est terrible, ça ! Mais non, bien sûr, la voie la plus près, c'est à deux villages d'ici... Tu as raison. Un train ! Pourquoi ? Ça n'a rien de drôle ! Enfin, je trouve.

— Mais c'est très grand, ça roule très vite, on descend toute la côte en quelques heures. Les campeurs m'ont dit ça, une fois. J'ai bien écouté. C'étaient des jeunes, avec des motos, ils se moquaient de moi, ils avaient pris le train pour arriver plus vite. Eh bien, ils avaient mis leurs motos sur le train ! Et on transporte aussi des autos. Il faut que ce soit aussi grand que ta maison. Il y a beaucoup de wagons attachés l'un derrière l'autre. La locomotive est en avant, elle tire tout. J'ai très bien compris.

— Bon, et alors ?

— Comment ça marche ?

— Pas facile de t'expliquer ça, Pierre. Avec l'électricité, qui fait tourner les roues. Voilà.

— Je pourrais aller jusqu'aux voies, en marchant. Je voudrais y aller, depuis longtemps. Jamais je ne me décide.

— Et tu fais bien. C'est de l'enfantillage ! » Elle riait, Marie, elle riait, en me jetant des petites pierres qu'elle mettait sur l'ongle de son pouce et faisait partir d'un claquement des doigts.

Elle disait :

— Tiens, je vais t'apprendre mon jeu de pierres. Tu vas voir comment on les dispose, en trois rangées. Mais non, il faut savoir additionner, et tout ça... Je suis bête. Il faudra que je t'apprenne à compter, aussi ! Dis donc, on n'a pas fini !

— Apprends-moi d'autres lettres.

Il faut qu'elle m'apprenne d'autres lettres. Il y en a encore beaucoup. « Énormément », a-t-elle dit. C'est peut-être parce qu'elle était seule, que Marie pleurait. Pleure-t-elle souvent ? Quand elle est seule ? Mais elle dit :

« Je suis tranquille, quand il n'y a personne, rien que j'aime autant, on ne s'occupe pas de toi. Je ne sais pas pourquoi Marie pleurait. »

La lumière baissait, déjà, la moiteur blanchâtre se bleutait et se grisait de crépuscule, et Marie ne venait pas. Pierre n'osait rien entreprendre, ni bouger. La maison, tout près, était silencieuse, il n'entendait venant de cette direction que les piaillements d'une volée de rouges-gorges qui s'était emparée d'un merisier, y faisait la fête, et dont la présence rendait encore plus certain l'abandon des lieux.

Il écoutait : la sirène qui s'acharne; quelques cris de goéland. Parfois le crachat d'un *suisse,* s'affairant d'arbre en arbre. Il regardait : le brouillard qui s'épaissit en même temps que monte la mer, sans doute, au bas du Cap ; les cimes des sapins et des bouleaux, qui s'enfoncent dans l'ouate : et, près du sol, les rochers humides, couverts de méandres de lichens rouges.

Il se leva, et s'en alla.

Un peu plus tard, dans sa cabane, après qu'il eut transporté un peu de bois pour le feu, mangé des légumes qu'il avait fait cuire la veille, il tourna en rond. Il ouvrit le poste de radio, écouta distraitement les mots, les musiques. Il ne réussissait pas à voir ce qu'il entendait, comme il le faisait d'habitude. Le poste grésillait de lointains orages. Il comprit la voix d'un homme : il disait que la vague de chaleur durerait plusieurs jours. Il ferma le poste.

Il alluma une chandelle, et se mit à écrire. Il répétait ce qu'il avait fait la veille, lente-ment, et sa calligraphie était aisée. Il cessa rapidement, lassé. Il se leva. Finalement, il s'allongea, et s'endormit.

Le lendemain matin, la brume était devenue soupe. On voyait à peine les arbres proches de la cabane, tout enveloppée de blanc. On soupçonnait les troncs des pins, les masses des taillis. Il se trouve ainsi des jours de plein été qui soudain s'enferment dans une attente morne, ouatés de silence, sans même un cri d'oiseau, et qui sentent le varech. Rien ne bouge, nulle part, semble-t-il, le monde se confine dans un cercle de quelques pas, ail-leurs c'est un mystère qui étouffe. Ici, une somnolence. Les mouvements paraissent inu-tiles, incongrus. Une pensée occupe l'heure entière. Il fait chaud, mais on croit avoir froid ; c'est l'étrangeté. On sait la marée haute, mais nulle vague, et nul clapotis : que cette odeur molle d'eau et d'iode, mêlée de poisson.

Pierre prit le chemin d'herbe, et entra sous bois. Il marcha longtemps. Où est Marie ? Elle a bien dit : « c'est long, d'apprendre à lire ». C'est long. Après la sapinière, il atteignit une petite rivière, et le barrage des castors. Dans le collet, il y en avait un, pendu au bout de sa branche flexible.

Il commença par le dégager, le jeta au sol, et entreprit de remonter le système du piège. Avec des gestes très doux, il disposait l'appât, une jeune tige de saule portant des radicelles encore fraîches, et qui serait encore meilleure d'avoir gardé l'odeur de la bête. Il pendait la friandise derrière le collet de laiton : il fallait ensuite faire tenir le tout à la branche flexible, posée dans une fourche, puis clouer le collet au sol par un crochet de bois planté doucement dans l'herbe de l'étroite trace où passerait l'animal : il arracherait tout, en se prenant, et la branche se relèverait, le mettant, pendu, à l'abri des voleurs.

Le piège en place, Pierre examina le castor. La mue d'avril lui avait donné un poil superbe.

Il a six mois, à peu près. Je devrais frotter l'appât avec ses glandes, c'est un mâle, et le piège serait fameux. Mais il prit le castor et l'emporta.

Avec un castor, à la maison blanche, je peux entrer sur le terrain. Alors, je frappe à la porte. Marie ouvre, elle dit bonjour. Je ne montre pas le castor.

Ou alors ils ouvrent. Lui ou elle ? Je montre le castor. Elle a dit : *Il ne faut rien leur vendre.*

Elle arrive, et elle voit le castor. Elle a dit : *Il aurait dû t'apprendre autre chose, ton père. Voilà.* Et aussi : *Tu es méchant.* Mais je ne savais pas. Maintenant je sais.

Je dis : C'est une vieille peau de l'an dernier. *Elle est fraîche,* c'est ce qu'elle dit.

Je l'ai trouvée, ce matin, dans un piège. Je l'ai prise. Si on laisse un castor mort près du barrage, c'est la panique et tous les autres s'en vont. C'est un mâle, tu vois, et il sent fort. *Qui avait mis le piège ? Voilà...*

Mais je vois Marie. Pourquoi n'est-elle pas venue, hier ? Où est-elle ? Elle dit : *Quelle horreur !* elle est furieuse.

Et les lettres qui manquent ? Apprendre à lire, c'est long. Pierre ne cessait de penser à Marie, d'imaginer qu'elle était sans doute allée au village, ou plus loin peut-être ; qu'elle reviendrait sûrement bientôt. Quand ? Il retournerait à la maison blanche, il s'assoirait, et il attendrait, voilà tout.

Quand il atteignit sa cabane, il descendit au bord de l'eau, retroussa les jambières de son pantalon, se trempa les pieds, et commença à écorcher le castor.

Il garda les quatre glandes : les deux qui sont succulentes, et les deux plus profondes dont l'huile appâte si bien les pièges et les collets.

Ensuite, il détacha la peau, à la pointe du couteau, et garda les bons morceaux de la viande. Il jetait la carcasse et les viscères au Golfe, déjà les goélands attirés par une odeur qu'ils étaient seuls à percevoir surgissaient du brouillard et commençaient à se disputer, avant même d'oser s'abattre sur l'eau rougie, près de Pierre.

Il lava le castor, remonta près de sa cabane, et pendit la fourrure à une branche.

Il tourna un peu en rond, entra chez lui, prit son sac contenant ses livres, son cahier, les crayons. Et s'en fut vers le Cap.

A la maison blanche, il n'y avait personne. Il gagna la clairière de rochers, s'assit, et attendit comme la veille. Entouré d'ouate, il s'engourdissait.

L'été humide se refermait sur lui. Il écoutait sa respiration profonde tandis que ses paupières s'alourdissaient à la chaleur moite du nuage. Sa tête aussi tombait. Tout son corps semblait se rapetisser vers le sol dans lequel il s'incrustait comme si le poids d'un étonnant sommeil eût voulu l'y faire pénétrer. Peu à peu, il s'allongeait dans le sable et l'herbe maigre ; sans qu'il s'en rendît compte, ses membres, son tronc, se rapprochaient de l'horizontale. Il s'endormait, et Marie apparaissait sans qu'il l'entendît. Elle souriait ; les traits de son visage étaient enfermés par la brume dans laquelle déjà pénétraient ses cheveux noirs. Elle se penchait vers lui. Il ouvrit les yeux. Il n'y avait personne. Une branchette d'armoise, cassée, qui s'en allait au sol, penaude, ses fruits déjà secs en grappes terreuses. La face plane d'un rocher, sur laquelle le regard butait. Personne. La chaleur, et la senteur sucrée d'un buisson de sauge.

Il se redressa, lent, sur ses genoux qui enfonçaient un peu dans le sable. Il prit son couteau, dans sa poche, et l'ouvrit. La pointe était bien aiguisée, il la dirigea vers le rocher, et se mit à graver avec un très grand soin. La dernière lettre qu'il avait apprise, et ce qu'elle pouvait dire lorsqu'on y ajoutait des voyelles. Au bout d'un très long temps, le rocher disait à Marie : FA FE FI FY FO FU FOU FAU FEU FAI.

Il s'en alla, quand il sut que la marée était basse. Le Cap résonnait de voix et de bruits sortant étouffés de toutes parts, tandis que Pierre marchait. La savane assoupie était parcourue de cris de corbeaux. La forêt, plus loin, s'endormait elle aussi de chaleur, les trembles abattaient leurs feuilles, l'herbe jaunissait. Le soleil du soir réussissait seul à percer la brume : c'était une boule orangée, pâle, infiniment lointaine et qui peut-être tournait.

Dans sa cabane, Pierre contemplait les murs de rondins. Son père, jadis, avait cloué sur certains d'entre eux des planches de pin qu'il avait achetées, l'année où les loups-marins s'étaient si bien vendus. En rangs, verticales, il y en avait deux murs complets, et son père avait même construit une étagère qu'encombraient les objets de chasse, les pots, les chandelles. Une autre année, Pierre avait terminé le travail en ajoutant d'autres tablettes, avec des crochets dessous, pour y suspendre ses vêtements. Il restait beaucoup de place encore, sur un mur de planches au pied du lit, et Pierre eut une idée en le regardant.

Il prit des journaux, les étala sur la table, les examina et se mit à découper des lettres. Toutes celles qui parlaient, qu'il tria soigneusement. C'étaient de gros caractères d'imprimerie, et des syllabes complètes, parfois même un mot : tout ce que Pierre reconnaissait. Puis il prit la colle dont il se servait pour ses harpons, il la fit chauffer, et commença le collage, sur les planches.

Il disposait les lettres semblables côte à côte, puis les sons plus complexes, en rangs serrés, comme il l'avait fait sur son cahier. Il y en avait beaucoup, et une grande surface s'emplissait, sur les planches du mur.

Cela lui prit du temps. Quand ce fut fini, il s'arrêta et regarda. Il y avait aussi beaucoup de bois blond, vide, muet. Quand serait-ce fini ? Où est Marie ?

Le lendemain matin, la brume s'était enfuie. Tout grillait au soleil. Une lumière brutale noyait la Baie. Les cris des oiseaux avaient réveillé Pierre, il était sorti de sa cabane pour observer le beau temps. Il mangea, assis dehors, et le Golfe s'étendait devant lui.

Le reflux de la marée qui commençait marquait de longues rides à la surface de l'eau, en ondes parallèles qui semblaient naître de rien, au rivage, et lentement s'éloignaient. Plus au large, tout mouvement se fondait dans l'immense plat qui brillait. Plus loin encore, il y avait des changements de couleur, des étendues foncées, d'un vert presque noir, comme de longues taches qui marquaient les bas-fonds. Pierre en reconnaissait quelques-uns. Des goélands piquaient la surface, minuscules. Et puis tout se fondait en cette immense étendue qui semblait n'avoir pas de fin, et sur laquelle des marsouins faisaient la roue de leurs ventres blancs. A l'horizon surgissaient les Iles-aux-Ours : longues, noires, basses, quatre ou cinq silhouettes vagues que noyait la réverbération du soleil. Il fallait quatre heures de bonne marche pour les atteindre l'hiver, sur la glace. Au delà des îles, c'était l'infini, le ciel immobile et presque blanc. On ne voyait pas la rive opposée. Mais Pierre savait qu'après ces terres sauvages, passé cet horizon ouvert, il y avait autant d'eau, un autre immense désert mouvant, avant d'atteindre l'autre côté du Golfe, et le pays de sa mère. Tout se noyait d'espace ; l'absence de vent, inhabituelle, ajoutait encore au calme bleu de ce matin de chaleur. Un vol d'outardes, au ras du ciel, semblait voué à l'éternité : allant vers la pleine mer, vers l'est, il fuyait très lentement, sans fin, s'effaçait par la distance, et laissait une question sans réponse.

VIII

— Moi, je ne voulais pas y aller ! Je te dis, Pierre, je ne voulais pas y aller ! Mais ils ont décidé de faire une visite à leurs amis. Ils leur ont téléphoné : on s'ennuie ici ! (Ils s'ennuient tout le temps.) Et nous voilà partis avec la voiture, les valises, tout le chargement... Leurs amis, ce sont des imbéciles : ils parlent continuellement comme la télévision. Ils répètent ce qu'ils ont entendu, comme des perroquets. Ils racontent des blagues, tout le monde les connaît... Tu ne peux pas savoir !

« Je ne voulais pas, mais lui il voulait. Alors

il m'a battue. Ça m'est égal : il pense que ça me fait mal, elle dit c'est très bon pour ton éducation. Moi je m'en fiche ; je ne sens rien ; il en est pour ses frais ! J'ai fait semblant d'y aller pour obéir, mais en réalité j'ai pensé si j'y vais, je trouverai bien le moyen d'acheter d'autres livres pour Pierre : pour nos leçons et aussi plus tard, quand il saura lire. Voilà...

« Et ça s'est passé exactement comme je voulais ! C'est une petite ville, là-bas, mais il y a une librairie formidable. Naturellement, chez leurs amis, ils ont parlé, parlé, blagué ; ils ont mangé, ils ont bu, ils ont attrapé les petits yeux serrés de quand ils sont soûls, les voilà fatigués ; moi je monte me coucher. Le matin, je me lève, toute seule, je prends de l'argent dans la poche de sa veste, je m'en vais en ville et j'achète tout ce qu'il te faut ! Regarde : cinq livres, et pas bêtes, tu verras : faits exactement pour toi ! Même, j'ai trouvé ça, c'est un cadeau : un stylo, et une bouteille d'encre pour le remplir. Regarde, je te montre comment faire. »

Les livres étaient coloriés. Pierre les ouvrait : ils étaient emplis de lettres, de mots, de photographies, de dessins. Il ne savait par où commencer. Il les refermait pour suivre les mouvements de Marie qui emplissait le stylo en expliquant comment il convenait de s'y prendre :

— Voilà, tu as vu ? Il y en a pour longtemps, tu peux être sûr... Tu aimes ? Pierre riait. Marie est revenue. Elle est pâle, pâle, et ses cheveux sont noirs.

Elle dit :

— Je fais vite, je rentre, et je cache ça dans ma valise. Tu sais, ils dorment encore... La seule chose bien, chez leurs amis, c'est qu'il y a un chat. Je lui donne du lait, je le peigne bien beau, il se frotte contre moi, il est drôlement content. Après, on a mangé, j'ai pensé encore à toi, j'ai attendu. Rien qu'attendre, qu'ils se décident à partir ! Peut-être on aurait le temps d'arriver ici pour l'après-midi, pour que je te voie ?... La prochaine fois, tu sais, je te laisserai un signal, un morceau de papier, n'importe quoi. Ici. Ça voudra dire attends je suis partie mais je reviens. On aurait dû y penser ! En arrivant, il était trop tard, c'était presque le soir ; je suis venue quand même voir, tu n'étais pas là. Mais j'ai vu tes lettres. Voilà.

— Je ne savais pas quoi faire, dit Pierre.

— Elles sont belles, sur le rocher.

— Il reste beaucoup de lettres ?

— Oh oui ! Mais on va les apprendre vite. Maintenant, tu es bien parti, tu comprends tout. Tu es très intelligent. Pierre ! Il ne faut pas avoir de la peine. Il faut me faire confiance ! Tu verras !...

— La télévision, c'est beau.

— Et finalement, il n'y en a pas tant que ça, des lettres. Ce sont surtout les assemblages, qui sont longs. Mais tu seras surpris, tu verras !... Tu veux voir la télévision ? dit Marie. Tu ne l'as jamais vue ?

— Si, une fois, au camping. Il y avait un homme, avec une grande maison sur roues. Il avait la télévision.

— C'est vrai, ils ont mis l'électricité, là-bas.

— Alors moi, j'étais derrière, dans le taillis. Je me suis approché un peu, personne ne m'a rien dit. Je voyais très bien. C'était une partie de ballon.

— Du football.

— Oui, c'est ça. J'ai regardé, longtemps. On voyait tout. Mais je n'entendais presque rien.

— Et tu aimes ça ?

— Oui.

— Allons bon ! Parce que tu ne vois rien,

dans ton coin ! Mais tu t'en fatiguerais vite...
Un jour, s'ils s'en vont, on entrera dans
la maison et je te ferai voir ça. Mais pas
du football, parce que je trouve ça impossible !

Dis, tu veux qu'on travaille, ou quoi ?
— Oui, dit Pierre.

— Bon, alors, ouvre ton cahier et donne-le-
moi. Après, on regardera un des livres, et tu
verras que c'est pareil, que c'est comme ton
cahier ; mais il faut commencer par ton
cahier.

« Tiens, voilà : ça, c'est un *G*. Et ça, et ça,
celui pour lire et celui pour écrire. A toi,
essaie de copier. Et ne confonds pas avec le
C, hein ? Fais attention. »

Elle se tut, elle surveillait ce que Pierre
écrivait. Il murmurait le nom de la lettre en la
dessinant soigneusement. Au bout d'un
moment, Marie dit : « Tu en fais deux lignes,
hein ? comme d'habitude. » Il s'arrêta et
dit :

— S'il t'a battue, il est méchant.

— Naturellement ! Qu'est-ce que tu crois !

— Pourquoi dit-elle que c'est bon pour
ton éducation, alors ?

— Écoute, tu compliques tout. C'est ce

qu'ils disent : c'est bon pour éduquer les enfants... Elle me bat aussi, tu sais.

— Mon père me donnait des coups de fouet, des fois.

— Ils mentent tout le temps. N'essaie pas de comprendre. Plus tard, tu liras les livres, et alors tu comprendras.

— Ma mère Nod aussi. Dans les livres, on apprend que c'est bon ?

— Mais non ! Mais on comprend tout. Je te dis : tout est dans les livres. Eux, c'est parce qu'ils sont ignorants, voilà. S'ils apprenaient, tu t'imagines comment ils seraient ?... Non, tu ne peux pas imaginer ; parce que tu ne sais pas encore. Quand tu sauras lire, tu liras. Alors tu comprendras ce que je te dis. Tu verras que tu ne sais rien, et tu auras envie d'apprendre. Il faut commencer par le commencement, c'est le bon moyen.

« As-tu fini ? dit Marie.

— Non.

— Alors, continue.

« Écoute, dit-elle : eux, ils savent lire, figure-toi. Mais ils ne lisent pas pour apprendre. S'ils lisent, c'est de travers : des bêtises, des sottises. Dès que ça apprend, ça les ennuie. Et ils croient qu'ils savent ! Ils sont pires que toi... Ils sont toujours en train de parler de n'importe quoi, les problèmes de l'humanité, nous vivons une époque grave, la bourgeoisie ne comprend rien à l'art, la misère dans le monde... Ils disent n'importe quoi. Mais ils ne font rien.

« Parce qu'ils ne s'occupent pas du principal, voilà : ce qui est important, c'est d'apprendre. Pas de répéter. On lit, et on est heureux ; on trouve tout beau... Quand tu sauras lire, alors tu sauras ce que c'est que de t'envoler au ciel, et d'être léger comme un oiseau.

« Tu vas ouvrir un livre, et tu vas lire ceci, écoute, je sais le début par cœur : *Muse, dis-moi le héros aux mille expédients, qui tant erra...* et là, tu ne pourras plus t'arrêter ! Tu liras des pages et des pages d'aventures fantastiques. A te faire dresser les cheveux, à te faire trembler, tu verras, tu verras ! Et puis tu en ouvriras un autre, et ce sera pareil : tu t'envoleras. Il n'y a rien de meilleur... As-tu fini ? » dit-elle.

Pierre tendit le cahier. Après avoir terminé les deux lignes de lettres, il en avait commencé une troisième, au début de laquelle il avait écrit : *GA*.

— C'est ça ! dit Marie. Tu comprends bien le système. Tu vois, ça va très vite, maintenant !

— Si on entre dans la maison blanche, dit Pierre, un jour, je pourrai parler avec le téléphone ?

— Pourquoi ?

— Je n'ai jamais parlé avec le téléphone.

— C'est inouï.

— Je voudrais bien.

— C'est vrai qu'il n'y a pas de raison, si tu ne connais personne hors d'ici... Écoute, tu es comme un enfant ! Si tu veux, je te ferai entrer dans la maison, un jour qu'ils seront partis, et tu verras la télévision, et tu parleras avec le téléphone. Voilà. Je ne peux pas appeler loin, parce qu'ils s'en apercevraient, et alors les questions et tout ça, mais.

« Et maintenant, dit-elle, la lettre suivante : c'est le *H*. »

Marie prit le cahier, elle écrivit les trois formes du *H*. Elle dit :

— Celle-là, fais bien attention. Quand elle est toute seule, c'est une lettre idiote. Commence par l'écrire, et elle rendit le cahier à Pierre, qui se remit à travailler.

— Les oiseaux-voiles sont arrivés ce matin, dit-il en commençant une ligne de *H*.

— Qu'est-ce que c'est ?

— Des petits, tout petits oiseaux. Quand ils volent en bande, ils font comme la voile d'un bateau, qui se gonfle et se dégonfle au vent. Ils vont toujours en groupe, très serrés, ils se posent sur les grèves et sur les battures, tous d'un même coup. C'est comme une voile qui tombe...

« Ils sont arrivés ce matin. »

Pierre se tut. Il était triste, soudain. Marie le regardait, étonnée. Elle dit :

— Mais si tu te distrais tout le temps comme ça, tu n'apprendras pas... J'espère que tu ne vas pas tirer sur les oiseaux-voiles !

— On ne peut pas tuer les oiseaux-voiles, dit Pierre. Ils sont trop petits et ils ne servent à rien. Je n'ai pas tué un seul oiseau, cet été. Depuis que tu m'as dit. Ni rien.

— Et le castor dont tu m'as parlé ?

— C'était pour l'apporter à tes parents, et alors je te voyais, peut-être. Mais je ne l'ai pas tué : c'est toujours le même piège, depuis des années ; il s'était pris tout seul.

Marie se mit à rire, et Pierre se trouva pris au piège, lui aussi. Je voyais bien qu'elle n'avait pas l'air très fâché, pour le castor. Il ajouta, très vite : « Et tu sais, l'enclos que j'ai fait, pour les lièvres ? Eh bien je n'ai même pas mis d'appât. Pas de lièvre, depuis long-temps.

— Bon, bon », dit Marie. Elle montra la nouvelle lettre écrite par Pierre, elle réfléchit un peu, et dit :

— Écoute, maintenant. Quand tu verras cette lettre-là, toute seule, tu feras comme si elle n'était pas là. Tu ne la prononceras pas. Voilà. Elle ne veut rien dire. Elle n'a pas de son. Elle est muette. Retiens-la bien : *h,* c'est son nom, retiens-la bien, parce qu'elle est bien embêtante, celle-là.

— Tu te moques de moi ?

— Mais non, c'est vrai. C'est le *h.* On ne le prononce pas.

— C'est bien. Une de moins, dit Pierre. Il regarda la lettre, dit son nom plusieurs fois, comme il en avait pris l'habitude, et ajouta : « Avec les oiseaux-voiles, on n'a pas de temps à perdre !

— Pourquoi toujours parler des oiseaux-voiles !

— Quand ils arrivent, dit Pierre, c'est l'été qui s'en va. Doucement, doucement, les feuilles rougissent, l'eau devient mauvaise. Après, les gens quittent le Cap, tous. Je ne te vois plus. Et je n'ai pas fini d'apprendre à lire.

— Ah bon! dit Marie, c'est ça que tu penses! Tu sais bien que nous partons les derniers, un mois au moins après les autres... Alors! Si tu veux, tu sauras lire. Ce que tu peux avoir peur! »

Pierre était sombre. Il hochait un peu la tête. Il prit le syllabaire des mains de Marie, et le feuilleta jusqu'à la fin. Il y a beaucoup de pages, encore. Marie lui reprit le livre et dit :

— Il reste treize lettres, parce que tu sais déjà les voyelles, les groupes, beaucoup de choses. Et surtout, plus ça va plus c'est facile, maintenant.

Pierre se taisait. Accroupi, il était immobile. Marie le regardait. Elle dit :

— Tu n'as pas bonne mine, Pierre, je trouve. Tu as l'air fatigué.

— Non.

— Tu n'as jamais été malade ?

— Non.

— Heureusement! Si tu avais une maladie, comme l'appendicite, comment ferais-tu ? Peut-être que tu ne manges pas assez. Qu'est-ce que tu as mangé à midi ? Pour voir...

— A midi? Rien, parce que j'ai mangé ce matin, quand je suis revenu de chercher du bois. Après, c'était la mer basse, et j'ai vidé mon barrage. Après, j'ai mangé un hareng. Alors, tu vois.

— Celui-là, tu ne l'as pas mangé cru : un hareng! Au moins, c'est ça de gagné... Et sans pain?

— J'ai du pain. Je t'ai déjà dit, du pain qui se garde pendant des mois; je t'ai expliqué. Et je fais du pain de *bannock,* aussi. Mais je n'en mange pas beaucoup.

— Ton pain indien? C'est drôle. C'est peu, tu sais, un hareng. Moi j'ai faim; tout le temps faim. Et toi : non. C'est curieux.

— Je l'ai mangé cru, le hareng, dit Pierre. Qu'est-ce que c'est l'appendicite?

— Ne t'en fais pas. Tu ne l'auras pas. C'est très rare, ne t'en fais pas. Tu m'en apporteras une fois, de ton pain? Pour voir.

— Demain, je t'en apporte.

— Bravo! Ça va être terrible! Tu comprends, je vais être moins inquiète, cet hiver, quand je vais penser à toi. Je saurai comment tu vis, ce que tu manges, tout... Comment tu t'habilles, comment tu te chauffes. Je voudrais bien aller un peu chez toi, aussi... Tu pourrais avoir besoin de quelque chose, et je te le donnerais avant de partir... Un hareng cru ! Pouah !

— C'est loin, chez moi. C'est derrière le petit bois, juste au bord de l'eau. Les gens ne viennent pas souvent, parce que c'est loin. Des fois, les campeurs, oui : si je ne vais pas leur porter du poisson pendant plusieurs jours, alors il y en a qui viennent...

« D'autres fois, aussi, il arrive des chasseurs ou des pêcheurs. Ils me demandent des choses ; ils regardent partout. J'aime bien les voir, et parler avec eux.

— On pourrait se rencontrer chez toi, je te dis ! Si tu veux, demain, je vais en bas de la route, là où finit le Cap. Dans la descente qui tourne vers la savane. Tu n'auras qu'à m'attendre, et tu me montreras le chemin pour aller à ta cabane.

— Bon, dit Pierre.

Marie lui rendit le livre. Elle compta sur ses doigts :

— Je t'ai donné du papier, des crayons, un stylo... Tu sais déjà un peu écrire, toutes les syllabes que je t'ai montrées. Moi, je trouve que tu marches très bien, voilà... Et puis, je vais te dire : demain, je t'apporterai un autre livre, un très très gros. Un dictionnaire.

« Je voulais te faire la surprise, quand tu saurais toutes les lettres. Mais tant pis, je te l'apporte demain.

— Qu'est-ce que c'est ?

— Tous les mots sont dedans. Tu cherches un mot, comme par exemple *locomotive,* tiens ! Tu trouves comment ça s'écrit, tu trouves ce que c'est, bien expliqué. Parfois, c'est illustré, avec une belle photographie, ou un dessin, pour te montrer.

— Tous les mots ?

— Tous. Tu te rends compte ? Tu sais tout ce que tu veux savoir. Tu n'as plus besoin de moi, tu n'as plus besoin de personne ; tu travailles tout seul. Voilà... Tu veux voir un train ? Tu cherches à : *train.* Il faut savoir comment ça s'écrit... Aller voir un train ! Quelle idée, tu mourrais de peur.

— Des avions, j'en vois tous les jours. Des autos, des motos. Mais pas de train.

— Drôle d'idée !... Demain, je te donne ton dictionnaire.

Maintenant, écoute, dit Marie. Je vais te dire quelque chose. Un poème. Tu sais ce que c'est ?

— Oui.

— Comment le sais-tu ?

— A la radio, ils en disent, quelquefois. J'écoute, et je trouve ça très beau. Je ne comprends presque rien : c'est quelqu'un qui parle autrement que les autres, et autrement que moi. Mais j'aime beaucoup les mots qu'il dit. D'autres fois, je n'aime pas, mais je ne sais jamais pourquoi.

— C'est comme moi ! Ce sont des mots qui s'attachent ensemble, et souvent ça ne veut rien dire ; rassure-toi, pour moi non plus ! Mais tu vas voir, il y a des poèmes qui sont très clairs, très faciles. Écoute, c'est un poème : « Mon enfant, ma sœur, songe à la douceur d'aller là-bas vivre ensemble, aimer à loisir, aimer et mourir au pays qui te ressemble. » C'est beau, hein ? Tu comprends ?

— Oui. Mais tu ne l'as pas lu. C'est toi qui l'as inventé ?

— Mais non. Je le connais par cœur. Enfin, le début !

« Tu as remarqué ? On le retient tout de suite. C'est comme une chanson. Je te donnerai des livres de poèmes, tu les liras. »

Elle se tut, un moment, et elle dit ensuite : « Quand tu sauras lire, tu ne seras jamais plus tout seul. Voilà.

— Mais, dit Pierre, depuis cet été, je ne suis plus tout seul ; depuis que je te vois. Tous les jours. J'attends midi, pour venir ici, et le soir je pense à tout ce que tu m'as dit.

— Tout ça, c'est pour apprendre à lire.

— Pour te voir, aussi.

— Et moi, pareil ; au lieu d'aller me promener dans le bois, ou au bord de l'eau, comme je faisais les autres années... J'étais toujours toute seule. »

Elle coupa une petite branche de coudrier, trois feuilles et un petit fruit ratatiné, elle la mit dans sa bouche et fit une grimace. Elle jeta la branchette en l'air, la regarda tomber. Elle dit :

— En ville j'ai une amie. On se raconte tout, tout ce qu'on fait, tout ce qu'on pense. Elle me dit ce qui lui arrive, chez elle. Et on lit les mêmes choses. Je l'aime bien, mon amie. Je suis sûre que tu l'aimerais aussi. Et elle ! Dis donc, ce qu'elle va me poser comme questions !... Mais tu vois, je crois que je ne pourrai pas lui raconter tout. Pas toi ; enfin, pas tout à fait toi. Je lui dirai que je t'ai appris à lire, ça bien sûr, elle n'en reviendra pas ! Terrible ! Mais elle ne saura jamais qui tu es. Parce que toi, tu vois, tu es pour moi toute seule... Un secret, tu comprends ?

« — Toi aussi », dit Pierre. Je voulais dire que Marie était mon amie, à moi ; comme si je l'avais connue depuis longtemps ; comme si elle avait connu mon père, et ma mère Nod ; comme si elle avait vécu avec eux, et ensuite avec moi, quand ils n'étaient pas revenus à la cabane. Je voulais dire aussi que je ne pourrais pas, jamais, raconter Marie, et que je ne savais pas pourquoi elle pleurait, le premier jour, près de la barrière blanche de sa maison.

Je regardais Marie. Elle portait un chandail de laine beige, qui descendait très bas sur son pantalon bleu. Elle avait un bracelet argenté, très fin, comme un collet pour les lièvres, qui lui entourait le poignet. Elle ouvrait son livre de lecture.

— Moi, dit Pierre, demain, je te donne aussi quelque chose.

— Quoi ?

— Pour faire un bijou.

— Un bijou ? Terrible ! C'est quoi ?

— Ils disent que c'est très beau, ils en veulent beaucoup, ils en demandent tout le temps : « Tu n'aurais pas une dent, le Rouge ? » C'est ce qu'ils disent.

— Les stupides ! (le Rouge, ça m'énerve !...)
Une dent de quoi ?

— D'épaulard.

— C'est comment ?

— Plus gros encore qu'une baleine. Et plus
fort que toutes les baleines, parce que lui,
il les mange.

— Ce n'est pas possible.

— Si, si, il mange les petites baleines, et les
phoques, et les oiseaux, tout ce qu'il trouve.

— C'est pour ça qu'ici, on appelle ça Orcs
Bay ? C'est un orque, ton animal !

— Oui, oui. Aux Iles Vertes, une année, il y
en a un qui s'est échoué. Il ne pouvait pas
sortir des battures, c'étaient les basses
marées. Alors des pêcheurs sont venus, et ils
ont ouvert son ventre. Sais-tu ce qu'il ont
trouvé ? Un baleineau, coupé en morceaux, et
plus de douze loups-marins. Tu vois ! Son
estomac, il est grand comme une automobile,
tiens !

— C'est un conte, tu n'y étais pas.

— Mais je suis allé le voir, ensuite, parce que
l'odeur est venue jusqu'ici. Chaque fois que
le vent soufflait suroît, le vent de la terre, on
sentait le pourri. Le Voyageur m'avait
raconté : « Ils ont mis dix heures pour le

tuer! On n'avait pas vu ça depuis l'année que le dernier phare est devenu automatique et que les deux gardiens avaient tué un épaulard. Eux, ils l'avaient bien tué! Ils avaient l'habitude! Mais ça fait sept ans, et personne ne se rappelait comment faire! Alors, ils ont tiré toutes les balles qu'ils ont pu, les caves... L'orque? Il est mort de sa mort à lui, oui! C'est ce que je crois, moi... Et le lendemain, ils ont commencé à le couper. Ils se sont bien gardés de prévenir la coopérative, ils voulaient tous un morceau... Même les peaux de loups-marins dans son ventre; les dents; tout! Ils voulaient tout... Pendant huit jours, un vrai pillage. Après, les gens du Ministère sont venus; comment ont-ils su? Sais pas. Une dénonciation. Ils ont raflé leur part, la plus grosse, parce que les gars du village ne savaient même pas comment l'emporter!... Ils ont laissé ce qui pue. C'est ça l'odeur que tu sens d'ici, le Rouge! »

« Je lui ai dit que j'irais voir. J'y suis allé. C'était très pourri. J'ai pris un peu de graisse qui restait. Et une dent, que j'ai arrachée. Pour le finir il a fallu que la glace le ronge et que le dégel l'emmène au large. Au printemps, j'y suis retourné, il n'y avait plus rien. »

Marie dit :

— Des baleines, j'en vois parfois, dans le Golfe. Quand je peux lui prendre ses jumelles, je les regarde. Mais je ne vois pas grand-chose, au ras de l'eau. J'ai peut-être vu passer un orque, sans le savoir !

— Oui.

— Tu me la donneras, ta dent ?

— Oui.

— Je t'aime, Pierre, tu sais ?

— Moi aussi je t'aime, dit Pierre.

Ils regardèrent d'autres combinaisons de lettres, qu'on faisait avec le *h*. Pierre chuintait avec conscience, et Marie riait de voir les grimaces que faisaient ses lèvres. Il écrivit une petite dictée des syllabes qu'il connaissait.

Puis ils virent le *j* et le *k*. Pierre apprit à les prononcer, à les écrire, en suivant les indications de Marie, qui s'amusait de ses efforts pour calligraphier les complications de chaque délié. Il y avait même un mot qui contenait les deux lettres, et que Pierre ignorait. « Tu le regarderas dans le dictionnaire, voilà », dit Marie.

Ce jour-là, elle expliqua que l'on pouvait ainsi écrire plusieurs sons, côte à côte, pour faire un mot compliqué. Elle prit des exemples, elle combina des voyelles entre elles, et des consonnes. Elle suivait bien les recommandations du livre, et faisait répéter chaque chose, avant de passer à la suivante. Elle regardait Pierre s'émerveiller. Une chaleur la pénétrait, avec cette joie qui la portait, après une explication donnée, à en essayer tout de suite une autre : « Tu vas voir, tu vas voir », disait-elle. L'exaltation de Pierre se communiquait, et Marie essayait, par des questions, de faire trébucher son élève. Mais non : c'était un mouvement que rien ne pouvait plus arrêter, comme si Pierre avait soudain tout compris du système dont depuis des jours il n'avait saisi que les marges, ces miettes de sons étriqués qu'on lui jetait, qu'il savait tous par cœur et qui ne semblaient servir à rien. Mais là, tout s'attachait et se combinait. Des mots. Des mots entiers, mille fois entendus et mille fois dits : ils étaient là, maintenant, sur les pages, couchés comme des animaux dont on pouvait déchiffrer tout le corps, et qui parlaient.

Et quand ils s'arrêtèrent de travailler avec leurs livres, Pierre se mit à couper des brins d'herbe. Il les disposa sur le sol, devant lui, devant les genoux de Marie. Il leur donnait la forme des lettres, et finit par écrire tout un mot. Marie lui donna un baiser.

IX

Le lendemain, elle devait venir par le chemin du Cap. Là où il fait un brusque crochet, au bas de la pente, et s'enfuit à travers les buissons vers le village, vers Orcs Bay qu'il n'atteindra qu'après s'être de nouveau enfoncé sous les arbres, traversé les érablières, grignoté les rocailles qui surplombent les premières maisons.

On ne voit de cet endroit, en regardant la terre, que la savane, et cette montée du chemin vers le Cap. Du côté de l'eau, les battures mouillées. Pierre attendait, et il vit Marie qui débouchait sous les arbres. Elle leva la main.

Elle portait un sac de paille, où elle mettait parfois ses livres ; un chandail bleu ; un pantalon de toile bleu aussi, et des souliers de tennis. Toute en cheveux, lorsqu'elle approche : elle les a dénoués, le vent les prend comme il veut, autour de son visage.

Pierre se leva de son herbe.

Ils s'en allèrent côte à côte. Ils descendirent d'abord à la limite de la haute mer, le long de cette étroite bande sableuse où les touffes des blés d'eau, mouvantes à la moindre brise, saluent, tête baissée, les mottes d'iris bleus qui se fanent déjà. Le passage est étroit, entre terre et eau ; Pierre prit les devants. Marie suivait les pieds nus de son guide, elle les voyait s'enfoncer dans le sable qu'ils rejetaient en arrière, à chaque pas.

Pierre se baissait, cueillait une tige aux feuilles très vertes, se retournait : « Mange disait-il, tu vas voir. On en fait une soupe très bonne. On en garde tout l'hiver. Tu vois, la feuille avec trois pointes ? Goûte. » Elle goûtait, un parfum de fruit très mûr emplissait sa bouche.

Le sentier de sable mourait près des rochers, et l'on entrait ensuite sous le bois, par un chemin d'herbe. Des grives s'envolaient, et une gerboise s'enfuit en sautillant.

De chaque côté de la trouée, les fougères faisaient d'impénétrables massifs d'où sortaient les troncs des grands pins. Plus haut, au niveau de la tête, leurs premières branches, mortes, portaient des myriades d'aiguillettes roussies : une chevelure dense, sèche, loin de la lumière. Encore plus haut, les branches vivantes, vert sombre, jusqu'au ciel qu'elles déchiquètent.

On traversait une éclaircie, emplie de vinaigriers. Puis une érablière, avec quelques gros bouleaux, blancs, dont les troncs desquamaient leur écorce, de feuilles ouvertes comme les pages d'un livre.

Au bout de la forêt, on entendait déjà le bruit des vagues, et c'était la cabane de Pierre. Devant la porte, assis, il y avait le policier.

Pierre s'arrêta, hésitant.

Ce fut Marie qui s'avança, avec un « bonjour » dont la voix était nouvelle, étrange, retenue. Le policier se levait, pesant. Il dit :
« — Qu'est-ce que tu fais là ?

— Comment, ce que je fais ! dit Marie... Je viens acheter des harengs ! Et de la sardine... s'il y en a.

— Ouais.

— C'est interdit ?

— Non. C'est curieux. Tu viens souvent ?

— Des fois.

— Des fois combien ?

— Je ne sais pas. »

Le policier les regardait tous deux, il faisait la moue :

— Qu'est-ce que tu en dis, le Rouge ?

— Le Rouge... (Marie haussait les épaules.) Le Rouge, il ne dit rien. Il est muet. Peut-être idiot ?... Tout le monde dit qu'il est idiot, le Rouge.

— Ouais.

— C'est même pour ça que je viens : si vous voulez du hareng, il vaut mieux venir le chercher... Aussi bien, il peut vous apporter n'importe quoi ! Voilà.

— Ce sont tes parents qui t'envoient ? M'étonnerait.

— Je n'ai pas besoin de mes parents (comme vous dites) pour aller chercher du poisson.

— Je te trouve bien raide, non ? Sois polie, un peu. Sans ça, ton père va te frotter les oreilles.

— Ce ne sera pas nouveau, dit Marie.

— Et ton sac, dit le policier, il y a quoi là-dedans ?

— Pas de bombe ; pas d'allumettes ; pas de poupée. Des livres. Vous voulez voir ? Des livres. Voilà. Elle haussait les épaules, et se tournant vers Pierre : Alors, Monsieur, vous me le vendez, ce hareng ? Ou alors, de la sardine...

— Attends un peu, ma petite ! Pas d'histoires : tu viens avec moi. Je te ramène chez toi. Et tais-toi !... De force, s'il le faut.

« Ça fait deux fois que je te remarque, devant ta maison : tu l'attendais. J'ai vu... Et ensuite, j'aimerais bien savoir où vous allez, et ce que vous fricotez. Ouais.

« Tes parents seront prévenus. Et toi, le Rouge, si je te vois avec elle une seule fois, une seule, je te mets en boîte. Tu comprends ça ? En prison. En-pri-son ! Fermé, bouclé, OK ? Ouais.

« Et qu'est-ce que c'est que tous ces journaux, sur tes murs ? J'aimerais bien savoir, aussi !... On t'endure, ici, si tu ne bouges pas ; si tu restes tranquille !... Si tu nous embêtes : en boîte. Vu ?

« Toi, ma jolie, arrive ! Passe devant. La voiture est là, plus loin. Avance ! »

Marie se déplaçait, déjà, en direction du chemin. Elle se retournait vers Pierre : « Au revoir, monsieur...

— Ça va, avance ! », dit le policier.

Pourquoi l'emmène-t-il ? Pierre, immobile, les regardait tous deux s'éloigner entre
les arbres. Marie se retourna, deux fois, et les
deux fois elle sourit. Ils disparurent au bout
de la laie, on entendit les bruits de l'automobile qui démarrait, et qui partait.

Les lettres qui manquent, qui va me les
montrer ?

Il a dit qu'il nous avait vus, deux fois. Je
n'ai pas fait attention, parce que j'étais avec
Marie. C'est ma faute, je n'ai pas fait attention. « Si tu nous embêtes... » C'est ce qu'il a
dit. Quand je suis avec Marie, il n'est pas
content ; je l'embête. Pourquoi ? Il a peur que
je lui fasse du mal. Que je la tue, peut-
être ; il ne sait pas qu'elle m'apprend à lire, et
à écrire.

Je lui dis : elle m'apprend à lire, et à écrire.
Parce que je n'ai pas été à l'école. « Et ça
marche ? » Oui, mais c'est très long. Pas difficile, non, mais long ; alors, il faut se dépê-
cher, et on se voit tous les jours. Voilà... Il
reste beaucoup de lettres. Mais je n'ai rien dit,
au policier.

Chez elle, à la maison blanche, il va la
ramener à ses parents. Ils vont peut-être crier.

Il va la battre, peut-être. Si elle pleure, ce sera ma faute, parce que je n'ai rien dit au policier.

« Je viens acheter des harengs, et de la sardine. » C'est ce que Marie a dit. Pourquoi ? Elle m'a appelé monsieur. Marie, si tu m'expliques, je comprendrai. Tu ne voulais pas qu'il sache ; pourquoi ? Et moi, je t'écoutais sans bouger.

Pierre s'asseyait devant la cabane. Puis il se relevait, et entrait chez lui. Les pas du policier avaient laissé de la terre, et des brindilles, sur le plancher de bois. Pierre regardait aussi les lettres collées sur son mur.

Il sortait.

De nouveau, Pierre était face à la mer, face au Golfe qui brillait de chaleur jusqu'aux Iles. Marie. Marie. Quand tu regardes l'eau, tu dis : *C'est comment, de l'autre côté ?*

— C'est le pays de ma mère Nod.

— *Et puis ?*

— La terre qui n'a pas de fin.

— *Je sais : jusqu'au pôle Nord ; et passé le pôle nord, c'est encore la même chose ; je sais : la Terre de Caïn.*

— Il n'y a rien.

— *Il y a des animaux qui se tuent.*

153

— Il y a des forêts très grandes.

— *Des animaux sur la terre ; et sous la terre aussi.*

— On peut marcher tout l'hiver dans la forêt, et au printemps la forêt n'est pas finie encore.

— *Des animaux dans le ciel ; et dans l'eau.*

Après, on peut marcher tout l'été au milieu de la prairie et des savanes ; à la fin de l'été, la prairie n'est pas finie.

— *Il y a cent mille lacs, mais personne ne les connaît.*

— Après, il y a la glace et la neige ; on peut marcher tout l'hiver dessus ; on arrive à une autre mer ; on peut la traverser, il paraît, et en face il y a encore une terre.

— *Il y a des fleurs, aussi, toutes cachées ; plus belles que les fleurs d'ici : les plus belles fleurs qui existent ; mais personne ne les a vues.*

— On peut encore marcher toute une saison, et trouver d'autres mers ; et d'autres terres ; et après, je ne sais plus : ce n'est jamais fini.

— *On pourrait y aller, toi et moi.*

— C'est impossible : on mourrait.

— *On vivrait ; avec les bêtes et les fleurs ; avec les lacs et les rivières ; on serait seul, on ferait ce qu'on voudrait.*

— On se perdrait.

— *Puisqu'on irait n'importe où : on ne se perd pas !*

Marie. Marie. Il faut que j'aille là-bas, dans notre clairière. Pour voir... Si je passe par le bord de l'eau, personne ne me verra. Je ferai attention. Arrivé au bas du Cap, je suivrai les rocs et mes grèves, tout le long de la marée. Jusqu'au bas de la maison blanche. Après, je monterai lentement, sans faire de bruit, jusqu'aux rochers, et j'irai m'asseoir pour l'attendre. Elle viendra peut-être. Si elle n'est pas là quand il fera nuit, je redescendrai et j'y retournerai demain.

Si j'emporte une feuille de mon cahier, et que je la laisse, sous une pierre, alors elle saura que je suis venu, et que je reviendrai.

Ce que je veux lui dire, si je savais écrire, je le mettrais sur la feuille de papier : voilà. Il faut savoir écrire.

Pierre s'en alla vers le Cap.

Le soleil baissait derrière la grande maison blanche. Un air d'ocre et de feu baignait les arbres et le ciel, les rochers et l'herbe. Tout saignait lumineusement ; tout était d'or. Pierre se glissait entre les deux rocs de la clairière, et Marie était là. Elle se jeta à son cou.

Ils riaient tous deux, embrassés. Et puis, elle recula pour mieux voir le visage de Pierre. Elle dit :

— Je savais que tu viendrais vite. Je t'attendais... Tu sais, il va falloir trouver un endroit plus tranquille.

Pierre réfléchissait. Et Marie ajouta :

— Ils sont saouls. Paf ! Bien fait ! Alors, il a dit qu'il leur parlerait demain. L'imbécile. De quoi se mêle-t-il ! Si tu avais vu sa tête ! Terrible.

— Il y a le trou, peut-être, dit Pierre.

— Quel trou ?

— C'est la source : elle a fait un trou, derrière la roche plate... C'est presque au bord du Golfe. Le trou est entre deux grosses pierres, on ne les voit pas. Un hiver, c'était le repaire d'un loup-cervier, à cause de l'herbe-à-chats qui avait poussé là tout l'été. Les loups-cerviers aiment cette odeur. C'est le seul que j'aie trouvé par ici, d'habitude ils sont de l'autre côté du Golfe, sur la terre sans fin, au nord. On pourrait y aller, chaque jour, dans le trou, et personne ne le saurait. Si on fait attention.

— Et où est-elle ta roche plate ? J'irai demain.

— Demain, ce sera le baissant de la mer. Tu passes le long des rochers, au début du Cap. Je serai là, et je te montrerai comment descendre dans le trou.

— C'est creux ?

— Non. Et c'est grand, on peut s'asseoir. C'est frais, l'été.

— Je leur dirai que je voulais du hareng. Ils s'en moquent bien. Il en sera pour ses frais, l'imbécile.

— Mais, si tu dis que tu m'apprends à lire ?

— Tu es fou ? Tu ne les connais pas. Ils vont me surveiller chaque jour !

— Pourquoi ?

— C'est comme ça.

Pierre sentait que c'était vrai. Il sentait que Marie avait raison. Il ne faut rien dire, il ne faut pas qu'on nous voie. Quand Marie pleurait, c'était peut-être qu'on l'avait empêchée de faire quelque chose, quelque chose qu'elle aimait. Comme me voir, et s'asseoir près de moi, et m'écouter raconter : ses yeux, à ce moment-là, s'agrandissent et brillent, ils s'en vont loin de moi, ils se promènent sur la terre de ma mère Nod, sur le Golfe l'hiver, ou dans la forêt ; ses lèvres s'entrouvrent, elle reste immobile, et moi je sais qu'elle se sent bien.

Et aussi, quand elle me raconte : elle aime me raconter, m'expliquer ; même m'apprendre toutes les lettres, elle a l'air aussi contente que moi.

Mais quand elle pleurait, elle ne m'avait pas encore rencontré. Ce jour-là.

— Maintenant, dit Marie, il faudrait que je m'en aille. Je vais aller manger, en attendant qu'ils se réveillent. Alors, à demain ? Je serai en bas du Cap, et on ira là où tu dis, à la source.

— Montre-moi une autre lettre, dit Pierre. Une seule.

— Aujourd'hui, on aurait dû voir le *M*. Attends ; donne-moi ton couteau. Elle gratta la roche bleue, longuement, sous le regard de Pierre, puis recula pour juger de l'effet. Elle avait dessiné deux lettres, maladroites :

— Voilà. Majuscule, minuscule, ça suffit. Tu le reconnaîtras facilement, c'est le seul qui ait trois pattes. Tu vois ? Une, deux, trois... Dis-le : *me, me, me...*

Pierre répéta, lèvres closes. Elle ajouta : « Avec le *a,* ça fait *ma ! Ma, ma...* Et la suite, tu la connais, avec les autres lettres. Voilà. Il faut que je m'en aille, je te dis ! L'imbécile n'est peut-être pas loin, je me méfie, et s'ils sont réveillés je veux être là, moi ! A demain, à la roche plate. »

Elle s'enfuit. Pierre regarda fixement le rocher gravé. Il dévala ensuite la pente et prit le chemin du bord de la Baie, près de l'eau. Il voulait éviter toute rencontre. A chaque pas, il répétait la nouvelle lettre. Marie n'est pas en prison. Ma, me, mi, my, mo, mu, mou, meau, mon, meu...

Avec trois pattes.

X

Le lendemain, ils allèrent ensemble à la sortie de la source.

Comme Pierre l'avait dit, c'était une grande cavité creusée sous d'énormes rochers dont certains semblaient déséquilibrés, et qui la recouvraient presque en entier. Mais il y avait un côté de la caverne qui laissait voir le ciel, et par lequel on se glissait.

Sous le plafond de rocs, un peu de sable, des herbes folles, des fougères, des armoises, même quelques plants de boutons d'or. Un peu à l'écart de la lumière, dans un angle de pierraille, l'eau surgissait faiblement, on ne voyait pas d'où avec précision, d'abord terre humide et mousses gorgées, puis filet languide ; plus loin, flaques irisées ; enfin, une sorte de petit courant qui s'insinuait, passait entre deux granits, s'enfonçait sous terre, ressortait hors de la caverne et s'écoulait sur la pente, vers le Golfe.

Des feuilles mortes, des branchages aussi encombraient les coins les plus abrités, où le vent n'allait pas. Pierre entreprit de nettoyer, et Marie trouva que l'endroit était merveilleux : « C'est ce qu'il nous fallait, dit-elle ; personne n'y viendra, on voit bien ! Tu es génial, Pierre ! Je vais t'aider.

« Et maintenant, dit-elle lorsqu'ils se furent installés, voici mon cadeau : le dictionnaire. Je l'avais hier, bien sûr ; je n'ai pas pu te le donner à cause de cet imbécile.

— Le policier, dit Pierre, il vient me voir, de temps en temps. J'aime quand il vient. Tandis qu'hier... On parle, il me demande si le moment est bon pour chasser, ou pour la pêche. Il m'achète des peaux aussi, et des animaux. Une fois, un hiver, il est même allé me chercher des pommes de terre. Je lui ai vendu un castor.

— Tiens ! Bien sûr !...

« Tu as vu quand on est arrivés ? dit Marie. Il était tout énervé. Non mais, qu'est-ce qu'il croit ! Si j'avais été avec un de nos voisins du Cap, tu sais, ou alors avec mes deux imbéciles sales, à côté de la maison, eh bien il n'aurait rien dit du tout. Mais j'étais avec toi, le voilà furieux. Tu vois ?

— Non, quoi ?

— Quand on veut être tranquille, ils vous embêtent. Voilà. Tu ne peux pas comprendre. Ça ne fait rien, tu apprendras ça, aussi.

« Et combien tu lui as vendu, ton castor ? Pour voir.

— Un dollar.

— C'est pas croyable, dit Marie. Tu vas arrêter, hein, de te faire voler comme ça ?... Non, écoute, Pierre, ce n'est pas sérieux ! Je ne suis pas contente de toi... L'autre jour tu m'as dit que les campeurs du bout de la Baie t'avaient donné un dollar pour toutes tes sardines. Bon, mettons ! Mais un castor, ça vaut plus que des sardines, non ? Ça vaut une fortune. Voilà.

« Je sais, dit-elle encore : ça t'est égal. Tu as le droit. Mais eux, ils n'ont pas le droit. Ce sont des bandits. Tu comprends ?

— Non, pourquoi ?

— Oh, écoute !

— Mais moi, dit Pierre, j'aime voir des gens ; et le policier aussi. Ils me font peur, un peu, mais pas quand je les connais, ou qu'ils viennent chez moi. Je suis content : je leur parle ; alors le castor, ça m'est égal. Je pouvais en prendre beaucoup.

« Il est beau, le dictionnaire, dit-il... Regarde, il y a des dessins, des photos, comme tu m'avais dit. Et des pages, des pages. C'est le plus gros livre que j'aie vu.

— Et encore, c'est un très petit. Ils font des mots croisés ; quand ils vont s'en apercevoir, quelle séance ! Il va dire qu'elle l'a jeté. Elle va dire que non. Ça va crier, il va probablement fouiller toute la maison, ma chambre aussi, je ferai mieux de m'en aller, à ce moment-là !... C'est elle, je suis sûr que c'est elle ! J'entends ça d'ici. » Marie se mit à sourire, tandis que Pierre, fasciné, fouillait le livre en tous sens. Il leva la tête et dit :

— Je vais te donner mon cadeau, moi aussi.

Il vida son sac. Sur l'herbe s'accumulaient les livres, le cahier, le dictionnaire, les crayons. Pierre tendit un petit cône, que Marie regarda de tous côtés, sans rien dire, puis elle se mit à tourner la dent blanche entre ses doigts. Elle sentait la douceur de l'ivoire poli comme la vitre, et qui se réchauffait lentement. C'était à la fois dur ; et tendre comme un pétale. Elle la mit sur ses lèvres, se faisant une canine énorme ; elle regarda Pierre, ils rirent tous les deux. Elle donna un baiser à la dent.

— C'est beau, dit-elle plus tard, en la posant sur sa poitrine, c'est beau ! Avec un trou, je pourrai mettre une chaîne, ou alors une lanière de cuir, et ça fera un pendentif, terrible ! Ce sera toi, Pierre. Je te porterai autour du cou... Toujours ! Quand je toucherai la dent, je penserai à toi.

« Je penserai à ton pauvre orque, qui avait si bien mangé, le sauvage : il s'était rempli le ventre avec des loups-marins ; et on lui a tout volé. Bien fait ! Et moi, j'aurai sa dernière dent : ce sera toi, Pierre.

— Mais tu sais, dit Pierre, les loups-marins, c'est comme les castors. Il y en a beaucoup. Plus que des castors, beaucoup plus, même !... Tellement, tellement, que tu ne peux pas t'imaginer. Une fois j'en ai vu un troupeau, autant que de morceaux de glace sur le Golfe. Il y en avait partout. Et même une grosse bande de barbus, c'est la seule fois que j'en ai vu par ici.

— Et alors !

— C'était l'hiver dernier. J'avais fait des mocassins, c'est la meilleure peau.

— Comment tu l'as tué ?

— Avec la carabine.

— Ça doit faire mal.

— Non, ce n'est pas possible. Une seule balle, tu sais... Les autres ne se sont même pas dérangés.

— On est bien, ici, dit Marie. C'est une fameuse caverne. Ils peuvent toujours chercher ! On va venir tous les jours.

— Et on va voir toutes les lettres qui manquent.

— Tu veux continuer ?

— Oui.

— Elle est belle, la dent. Mais je la mettrai sous mes robes, pour que personne ne la voie. Prends ton cahier. Tu vas écrire ta dictée, avec la lettre que je t'ai montrée hier. J'espère que tu t'en souviens.

Lorsque Pierre eut fini d'écrire, Marie lui montra le *N*.

— Je te préviens, dit-elle, ça va devenir

compliqué parce que ça ressemble beaucoup trop au *M.* Écoute bien la différence : *Ma. Na.*

— *Ma. Na.*

— Oui, oh, tu dis ça maintenant, tout de suite après moi ! Mais je me souviens très bien, quand j'ai appris à lire, j'ai confondu longtemps les deux lettres. Les sœurs disaient : Il n'y a rien à faire, tu seras punie. Je m'en moquais, j'aimais écrire dans mon cahier, et la punition c'était de faire des pages de *M* et de *N,* au lieu d'aller dans la cour et de jouer. Je n'aimais pas jouer ; et maintenant, je joue tout le temps : quand je lis une histoire, je fais tous les personnages. Et même j'en invente.

— Quelles sœurs ?

— Les sœurs de l'asile. Tu ne sais pas ce que c'est ?

— Je sais, mais je n'en ai jamais vu.

— C'était avant qu'ils viennent me chercher. J'avais six ou sept ans.

— *Ma,* c'est comme pour dire Marie.

— Oui.

— On ne peut pas confondre avec *Na.*

— Ah non ? Tu me fais rire. Tu verras. Rappelle-toi seulement laquelle n'a que deux pattes.

— Ce n'est pas toi. Toi, tu as trois pattes, dit Pierre... C'était pourquoi, l'asile ?

— Regarde, voilà les deux autres *n :* celui pour écrire, et celui pour lire. Voilà. Écris.

« L'asile, c'était pour les enfants, dit Marie : il y en avait beaucoup, puis on venait les chercher pour les adopter. Il y avait une sœur qui m'aimait beaucoup ; elle me soignait, elle disait que j'étais malade. Je ne sais plus son nom. Elle disait : « les autres trouvent des » parents plus vite que toi parce que tu es malade ».

« As-tu fini ? Regarde le livre.

« Tu vois, si tu mets les deux syllabes ensemble, ça fait ma-man. Maman ; comme ta mère.

— Maman. Comme ma mère Nod.

— Oui. On pourrait aussi écrire son nom. Donne-moi le cahier, dit Marie... Je suppose que ça s'écrit *N, o, d : Nod.* Avec le gros *N,* le majuscule. On met toujours une majuscule devant les noms des gens, je te l'ai déjà dit, tu te souviens ? C'est un nom bizarre, je trouve.

— Son vrai nom indien, c'est Sang-de-phoque.

— Oui, je sais. Ton père était un drôle de

monsieur ; j'aurais bien voulu le connaître, tiens ! Je lui aurais parlé, moi.

Mon père, je me souviens de lui beaucoup plus qu'avant ; c'est depuis que Marie me demande, et que j'essaie de répondre à ses questions. Je me souviens, quand il se taisait, pendant plusieurs jours. Il lisait les journaux, il les enfermait dans l'enveloppe. Il ne parlait plus. « Il pense aux ancêtres, disait ma mère Nod, laisse-le ; ne va pas derrière lui ; sinon, il te donnera un coup de fouet, et moi un autre. » Je sortais, derrière mon père, et je le suivais de loin. Il marchait dans le bois, lentement, il ne faisait attention à rien ; il ne s'occupait de rien ; il ne regardait même pas le parc pour les lièvres, ni les collets. Tout à coup, il s'arrêtait. Il m'avait entendu ? Je ne respirais plus. Il repartait. J'attendais un moment, qu'il soit loin ; je m'ennuyais, au pied d'un érable, j'écoutais les corneilles se remettre à crier ; je revenais à la cabane. Lui, il ne rentrait que le soir, ou même la nuit. Ma mère servait une soupe, ou un poisson, n'importe quoi, qu'il mangeait sans rien dire. Après, on allait se coucher. Même, des nuits, il repartait dans le bois, et le chien grognait pour aller avec lui. J'entendais bien. Cela durait plusieurs jours, et après il me disait : Viens ; je pouvais le suivre.

— Il disait : Méfie-toi. Méfie-toi toujours.

— De quoi, te méfier ?

— Je ne sais pas.

— Personne ne s'est occupé de toi ; c'est révoltant.

— Mais toi, dit Pierre, à l'asile, tu étais malade ?

— Non ! Si j'avais su, oui : j'aurais fait semblant. Comme ça, pas de parents ! J'étais bien mieux à l'asile que chez eux.

— Ils se sont occupés de toi.

— Eux ? dit Marie. Et alors ?

— Je ne sais pas.

Marie le regardait. Elle avait son visage très clair, très lisse, sans la moindre petite ride, pas même une tache, et sous les sourcils en duvet, ses yeux piquants. « Je trouve qu'il fait chaud, dit-elle ; on est bien. » Un peu plus tard : « L'endroit où j'ai été le mieux, c'est à l'asile. Et ici, avec toi. »

XI

L'été n'en finissait pas de brûler. C'était plus chaud que toutes les autres années. De souvenir d'estivant, on n'avait jamais vu cela, au Cap. D'abord l'humidité du mois d'août, qui avait duré plus que de coutume : « Si on vient ici, c'est pour fuir la moiteur du sud. Cette année, c'est raté », disait-on. Marie ne disait rien, elle écoutait ; elle haussait les épaules : ces raisons ne semblaient pas la regarder. Cachée près de Pierre, elle se moquait d'eux. Elle se fichait de l'humidité ; et, aux crépuscules embrouillés, elle se plantait devant le Golfe pour voir se noyer le soleil

comme une orange dans les brumes de la
Baie. Le lendemain, elle disait à Pierre son
plaisir de la veille : « J'ai vu des marsouins,
hier soir. Il y en avait au moins douze ; terrible !

— Au coucher du soleil, c'est qu'ils avaient
faim. Le matin, c'est pour se gratter.

— Quoi ?

— On dit ça ; ils viennent à l'air pour faire
mourir les puces de leur peau. Ça les soulage.
Mais le temps va changer, bientôt », disait
Pierre. Et ce fut ensuite la sécheresse, au
moins deux semaines, très longues ; les lilas
égrappés raidissaient sur place ; la terre haletait ; des fumées arrivaient de loin, sentant le
pin brûlé et portant des mouches excitées.
Parfois, un fumet de moisi venait des arbres
morts, à demi renversés entre les futaies,
échardés ; gluants de pourriture, et c'était la
seule fraîcheur. Les couchers de soleil étaient
blancs ; la mer comme un miroir, jusqu'à la
nuit faite, renvoyait un ciel nu, pesant, puis
la lune se mêlait aux aurores boréales pour
teinter la voûte de petit-lait jusqu'aux trois
horizons. Pierre, couché ne perdait ni un
bruit ni un frôlement : la forêt grouillait
d'animaux, sortis à la fraîcheur. Le matin, la

rosée, mais quelques minutes : elle s'évaporait tout de suite.

Marie, en ces temps-là, portait une longue robe légère, sans ceinture, comme une cape à manches coupées, qui bougeait au moindre mouvement. Lorsqu'elle s'asseyait, elle ramenait l'étoffe autour d'elle, par terre : c'était une grosse fleur saumon un peu fanée, tombée cloche en avant sur l'herbe, épuisée.

Chaque jour, elle attendait midi avec impatience. Elle regardait au delà du bois sombre qui écrasait tout le Cap. Elle tendait le cou pour apercevoir, entre deux panaches de feuilles, la silhouette lointaine des montagnes, vers le sud. Elle pourrait suivre la marche du matin sur leur flanc boisé : dès que les cimes des érables et des pins se mettraient à briller puis à lentement blondir, ce serait que midi viendrait, le soleil commencerait de tomber vers la Baie. Tout allait luire, ensuite, s'échauffer et s'assoupir dans l'odeur sucrée des abeilles. Et Pierre se mettrait en route, là-bas, dans son bois, pour venir la rencontrer.

Il voulait apprendre à lire. Et elle, l'attendait : « Je me dépêche de m'en aller. Ils en sont encore à l'apéritif, ils n'en finissent pas,

moi je mange un sandwich ou n'importe quoi,
j'aime mieux parce que ça va plus vite, et
hop ! je trouve moyen d'aller me promener.
Je vais aux fraises (je dis ça), ou me baigner...
Je prends les livres, je me glisse, je fais des
détours pour que personne ne sache où je
suis, et me voilà dans notre cachette, à t'attendre. »

Souvent elle lisait, adossée à un rocher,
enveloppée de la lourde odeur de terre chaude
et de lichen qui se levait autour d'elle : « C'est
ici qu'on est le mieux, pour lire ; quand je lis
un poème, on dirait de la musique qui vient
du Golfe et qui monte jusqu'à moi... Tout à
l'heure, je lisais un roman de pirates, dans
une île au trésor : je te le jure, tu m'as fait
peur en arrivant ; tu avais une jambe de bois
et un bandeau sur l'œil, terrible ! J'aimerais
bien avoir un perroquet... »

Lui, Pierre, dès le jour, il se dépêchait. Il
laissait des travaux qu'il avait eu depuis toujours l'habitude de faire : couper du bois et
l'entasser, le tas diminuait ; s'occuper du potager, qui prenait des allures de savane. Il allait
chercher de l'eau, à la rivière, une seule fois.
Il descendait à la mer, pour vider sa pêcherie.
Le ciel était de ce premier bleu métallique des

aubes. Les marsouins, loin, roulaient leurs
ventres blancs, en cadence, devant les îles.
Pierre se pressait. Marie va s'en aller, l'été
fini ; je resterai seul ; je ferai du bois, et tout le
reste : cet hiver ; pas maintenant ; à midi, elle
va m'attendre.

Il n'allait presque plus à la grève du bout de
la Baie, où se tenaient les campeurs. Ils voulaient toujours de la sardine, ou du hareng, il
y en avait peu cette année-là. Et les voir, les
écouter, lui faisait perdre trop de temps. Il
préférait écrire, ou lire, dans la cabane ou
devant la porte : il répétait à haute voix toutes
les lettres, tous les sons que Marie lui avait
appris. Je pensais à elle.

Parfois, il se plantait devant le poste de
radio, il l'allumait, il écoutait. Au bout d'un
moment, il éteignait, las. Il regardait le ciel.
Midi approchait. Marie serait assise, contre
un rocher, dans le trou de la source. Elle
lirait. En arrivant, je pouvais la voir sourire.
Elle levait la tête, elle disait : « C'est idiot ;
c'est une petite fille qui s'appelle Alice. Mais
ça me fait rire, terrible ! Il y a plein de trucs
drôles, là-dedans... Bonjour, Pierre ! »

Puis, tandis qu'il s'installait près d'elle :
« A quoi tu rêves, toi, quand tu dors ?

— Moi ? Je ne sais pas.

— Je rêve toujours. Chaque nuit. Des fois, je me souviens longtemps. Mais jamais comme là-dedans... » Elle montrait les illustrations, qui amusaient Pierre. Elle disait aussi :

— Sais-tu combien il y a de livres différents, dans le monde ? Pour voir... Eh bien, il y en a plus que d'hommes vivants !

« Les hommes meurent, tout le temps, disait-elle ; ils sont fatigants. Les livres ne meurent jamais. Voilà.

— Toi et moi, on va mourir aussi ?

— Il paraît.

— Mais si on fait bien attention ?

— Tu as souri, hein ? Tu te moques de moi, ou quoi ?

— J'y pense souvent, disait Pierre.

— Pas moi ; c'est idiot.

— Qu'est-ce qu'on va faire, après ?

— Tu es vraiment comique ! On va sûrement rencontrer des tas de gens intéressants. J'aimerais bien parler avec Ulysse ; le capitaine Nemo, aussi. Quand j'étais petite, je disais ce que je ferais, une fois morte. Ils se moquaient de moi : « Tu es toujours en train de rêver des choses impossibles ! » Pourquoi impossibles ? « Oh, reviens un peu sur terre, tu veux ? tu

nous fatigues, avec tes livres. » Mais dans
mes livres, il y a des gens intéressants, et
agréables, et pas bêtes ; tout à fait comme toi,
tiens !

— Ils ont écrit des livres ?

— Qui ça ?

— Ceux que tu aimerais rencontrer.

— Quoi ? Ah, ceux-là ! non non, ils sont
dans des livres. Ceux qui les ont écrits, ça
m'est égal de les voir ou pas.

L'instant d'après, Marie se mettait à chan-
tonner. Pierre s'immobilisait, il se faisait
le plus petit et le plus silencieux qu'il pouvait. Quand elle chante, ainsi, j'essaie de
comprendre les mots ; mais ils se mêlent, et je
suis seulement la musique : je hoche la tête :
Marie répète souvent la même chanson ; elle
s'arrête, je ne bouge plus. Un peu après, elle
recommence, la même chose ; on n'entend
presque pas les paroles. C'est très agréable.
Quand c'est fini, il se passe un long moment
sans que j'ose parler ; elle va peut-être recom-
mencer ?

C'était toujours Marie qui rompait le silence :

— Il fait chaud, non ? J'irai me baigner,
tout à l'heure. Toi, tu ne te baignes pas, c'est

curieux ; seulement te laver. J'ai froid tout de suite, quand même, dans l'eau... je ne reste pas longtemps, tu sais.

Ou encore :

— Raconte-moi, pour ton père. Pourquoi restait-il toujours là, dans votre cabane, avec ta mère et toi ?

— Je ne sais pas. Il me l'aurait dit, peut-être, s'il n'avait pas disparu.

— C'est dommage.

— Mais je me souviens qu'une fois il a dit : si tu vis avec les hommes, tu finis par leur ressembler.

— Ça c'est bien !

— Tu crois ? Je n'ai pas beaucoup compris ; seulement un peu. J'ai compris qu'il se méfiait, comme il disait.

— Il avait raison, ton père, cette fois-là ! Tu sais, peut-être que je l'aime un peu, après tout ; il m'a l'air d'être comme moi, des fois. « Elle n'aime personne, ils disent, elle est fière, pour qui elle se prend celle-là ! » Mais ce n'est pas vrai. Chaque fois que je rencontre quelqu'un, il me dit des sottises, il m'agace, je finis par lui tirer la langue. Paf ! Je suis en colère. Voilà.

« Oui, c'est dommage. Je penserai à lui, des

fois ; quand je regarderai les battures, le soir.
Pour voir…

— Mon père, il disait aussi : ne te mets
jamais en colère.

— Mais lui, il te battait.

— Non.

— Tu m'as dit : avec son fouet. Je me souviens très bien.

— Il n'était pas en colère.

Un jour, après qu'ils eurent travaillé, elle
eut envie d'un pique-nique : « Je m'arrange-
rais, dit-elle ; je suis déjà partie toute une
journée, une fois. Ils s'en moquent. J'appor-
terais tout ce qu'il faut. On irait chercher des
myrtilles : tu sais, les grosses, les *bluets ;* c'en
est plein. Dans les anciennes tourbières, derrière le bois. C'est loin, j'y suis allée l'an dernier ; mais c'est beau, il n'y a personne.
Demain matin, on se rencontre ici, tu veux ? A
dix heures ?

« Tu n'as même pas de montre, eh, idiot »,
dit-elle en riant. Pierre rit aussi, et le lendemain il était à l'heure.

Il fallait grimper par un bois, qui dormait
déjà de chaleur. C'était au bout de la Baie, et
l'on entendait les voix des campeurs, en bas,

sur la grève. En haut, la futaie s'ouvrait sur un déboisé récent qui allait en pente, en coulées parallèles bordées de coudriers. Ils descendirent ; ils levaient les geais devant eux.

Au creux des tourbières, les anciens marécages étaient bourrés de ronces, de fleurs, et d'arbustes chargés d'airelles.

Ils allaient, de buisson en buisson, cueillant les petites baies de velours bleu. Il y en avait tellement parfois, en grappes sur le même taillis, que Marie s'asseyait près de lui et restait longtemps, essayant de le dépouiller entièrement. Mais elle n'y parvenait pas, et un taillis voisin, gorgé de fruits lui aussi, la faisait changer de place.

Un lièvre déboulait soudain ; ils s'immobilisaient pour regarder ses bonds de panique, et le perdaient de vue tout de suite. La chaleur montait, plus forte encore sur ces terres désolées qui semblaient l'irradier. On voyait des volutes d'air chaud, pourtant transparentes : elles déformaient les feuillages en montant devant eux, et s'évanouissaient au bleu du ciel. Un vol de merles explosait d'un bosquet de vinaigriers, les oiseaux s'enfuyaient dans toutes les directions, s'affolaient puis se calmaient et se posaient un peu partout, sur les ronces chargées de mûres. L'air sentait le miel rance et la tourbe séchée. Le soleil commençait à descendre vers les mélèzes, au bout de l'à-plat, et les myriades de fleurs de toutes sortes allumaient leurs couleurs à la lumière plus douce de cette fin d'après-midi. Ils étaient au milieu d'un immense jardin, des marguerites en parterres, de longues coulées multicolores de chardons bleus, de hauts trèfles violets, de boutons d'or, de pissenlits ; au bout, aux bosquets de vinaigriers, des grappes rouge-feu éclataient sur le fond de velours vert des hauts feuillages ; près d'eux, les hautes digitales pointaient leurs fleurs roses, en cônes bourdonnants de guêpes.

Marie se coucha de tout son long, bras écartés, crucifiée dans l'herbe, ivre d'odeur et de soleil blanc. Pierre la regardait. Elle dit : « Je suis fatiguée, maintenant. Je n'en peux plus. Ce qu'on est bien ! Je resterais là, tu vois ? jusqu'à la nuit, si tu étais près de moi. »

Elle ferma les yeux. Pierre s'assit près d'elle. Est-ce qu'elle dort ? Elle respirait régulièrement, puis elle s'étirait un peu, elle se creusait une place. Je crois que Marie ne pleure pas souvent. Elle pleurait, le jour où je l'ai vue, mais c'était peut-être un jour différent des

autres. C'était sûrement un jour différent :
Marie n'est pas comme ces enfants que j'ai
vus, qui pleurent pour un rien et que les
parents giflent, ou qui se jettent des pierres, en
riant. Lorsqu'elle rit, Marie, elle est belle et
je ris comme elle, tout de suite. Quand Marie
pleure, ce doit être pour quelque chose de
très important. Pourquoi pleurait Marie, ce
jour-là ?

— Je ne dors pas, dit-elle ; tu ne dis rien ?...

« A quoi tu penses ? Pour voir.

— Je pense que tu es contente.

— Oh oui... »

Elle ouvrit les yeux, les cligna un peu,
éblouie, tourna la tête vers lui :

— Cette année, ce sont mes meilleures
vacances. Jamais je n'avais été bien, comme
cette année. Et c'est à cause de toi. C'est parce
que je t'ai rencontré.

« Ce qu'on est bien, tous les deux ! Personne ne nous voit, personne ne nous parle.
Et je n'ai pas peur. Je n'ai peur de rien. Je
voudrais toujours rester comme ça.

« J'irai dans ta maison. On doit y être bien ;
aussi bien qu'ici, et même peut-être mieux,
parce que c'est chez toi. Le policier ne sera
pas toujours là : il est venu une fois, il a fait

son finaud, il est content, mais il ne reviendra plus, j'en suis sûre.

« L'hiver, je ne sais pas si je pourrais. Comment te chauffes-tu ? Une cuisinière, un poêle : c'est peu. Je ne sais pas si je pourrais.

« Il a dit qu'il te mettrait en prison. L'imbécile.

— Ici, dit Pierre, on est bien : personne ne vient, jamais. L'automne, pour la perdrix, j'ai vu des chasseurs qui se promenaient dans cette savane. Mais pas maintenant. Et dans le trou de la source aussi, on est bien.

— Oui, dit Marie. Elle se redressa.

Elle sortit des sandwiches de son sac de paille, et les étala sur l'herbe. Il y avait des serviettes de papier, deux bouteilles d'une boisson transparente, des pailles. Marie développait le papier brillant, elle prenait un sandwich, elle le donnait. Elle attendait qu'il ait mâché une bouchée, en le regardant faire.

— C'est bon ?

— Oui, dit Pierre.

— Je les ai préparés ce matin. Je suis toujours tranquille le matin ; ils dorment. Je me fais des repas terribles ! Comme je veux. Des œufs avec du sucre, ça c'est bon.

— Oui ?

— Du sucre d'érable. Ou du sirop. Je n'ai pas pu t'en apporter, il faut une poêle, et du feu ; mais je t'en ferai. Avec du jambon, aussi, c'est fameux. Là, j'ai mis tout ce que j'ai trouvé de meilleur. Tu aimes ?

Pierre avait la bouche pleine, il se régalait. Je sentais le goût de chaque bouchée. C'était une nourriture faite par Marie, elle avait des parfums sucrés, tendres, que je ne connaissais pas.

— Bois, dit Marie. Après, j'ai des bananes, des oranges. Et on peut manger autant de bluets qu'on veut. Elle grignotait, elle tendait un autre sandwich à Pierre. Elle dit :

— Moi, tu sais, je n'ai pas très faim. Il fait trop chaud. J'aime te voir manger. Il faut manger des fruits, et de la salade, et des légumes : c'est ce qu'ils disent. A cause des vitamines ; je ne vais pas t'expliquer ça, parce que c'est trop compliqué.

— J'en mange, dit Pierre ; j'ai mon jardin. Et l'hiver aussi. J'ai des patates.

— Je n'aime pas les patates. Pouah ! Ça n'a pas de goût. Même les sucrées. Je vais penser à toi, cet hiver, tu peux croire ! Je vais être inquiète.

— Moi, je serai content de savoir que tu penses à moi ; et je mangerai tout ce que tu dis, si tu veux.

— Ça ne fait rien : j'aimerais mieux être là. Je n'ai pas confiance ! Mange encore. »

Mais il n'avait plus faim, déjà. Marie le regardait, avec ses yeux aiguisés. Il se força, il mangea une banane, qu'il trouva fade. Marie dit : « Mets tout ce qui reste dans ton sac. Bon. Pour ce soir, ou pour demain. J'en ai assez de cueillir des myrtilles. Tu veux qu'on travaille ?

— Oui, dit Pierre ?

— Au début, dit Marie, tu t'en fichais bien, d'apprendre à lire ! Tu n'y pensais même pas. C'est moi qui t'ai dit ça : que ce n'était pas possible ; et j'avais raison ! Il n'y a rien de plus beau que les livres. Voilà. Je ne vais pas changer d'avis. Mais maintenant, dis donc, qu'est-ce que tu es pressé ! Pire que moi. Je me demande même... Tu ne viens me voir que pour ça, hein ? Dis voir la vérité, tiens ! »

Pierre regardait Marie, tout étonné. « Non, dit-il, je viens aussi pour te voir, pour te parler, parce que j'aime ce que tu me racontes.

— Tu crois ?

— Je ne sais pas. Oui.

— Ah », dit Marie. Elle éclata de rire, et Pierre sourit.

Ils se mirent à travailler.

Beaucoup plus tard, quand ils furent fatigués de lire, d'écrire, d'étudier, ils sommeillèrent ; Pierre adossé au chicot d'un sapin brûlé. Et Marie, couchée par terre, la joue posée sur la douceur d'une mousse morte.

— Ce que j'aime, dit-elle, c'est que tu ne ressembles à personne comme on voit tous les jours. Toi, c'est différent ; tu pourrais très bien entrer dans un livre et t'y installer, et y rester jusqu'à la dernière page.

« Je suis sûre que j'aimerais ça.

« Tu vois, c'est comme si je fermais un livre que j'étais en train de lire ; pour me reposer jusqu'à demain. Demain, je vais te rencontrer ; je vais de nouveau être bien, avec toi, comme maintenant ; à côté de toi. Je vais te montrer encore des lettres, des mots, et tu vas les apprendre vite, vite, extraordinaire ! Parce que tu es très intelligent, voilà. Et tout ce que tu me dis, ça va me trotter dans la tête toute la soirée, et même la nuit. Jusqu'à demain.

— Avant, dit Pierre, j'aimais bien parler avec les gens. Je leur demandais des choses.

Ils me demandaient, aussi. Je les faisais rire ; je voyais bien qu'ils se moquaient un peu de moi, je ne savais pas trop pourquoi. Ça ne faisait rien, j'étais content.

« Avec toi, je t'écoute. Tu ne te moques jamais de moi. Tout ce que tu dis, je comprends. J'aime mieux écouter, maintenant. »

Il fermait les yeux. L'odeur d'un buisson de menthe lui parvenait.

— Mais après, tu vas partir, dit-il ; après l'été. Et je vais rester sans toi.

— Quand on a un certain âge, dit Marie, alors on peut s'en aller, toute seule, et personne ne peut vous empêcher. Ils disent qu'on est majeur. Ils n'ont pas le droit de s'occuper de vous ; personne. Voilà. Heureusement, non ? Il faut attendre jusque-là, sans ça ils s'arrangent pour vous reprendre...

« J'attendrai », dit-elle.

Marie tourna les yeux. Elle contemplait son bras nu, sortant de la manche courte du chemisier, et sur lequel venait de se poser une mouche, minuscule, tachée de bleu. Marie fit signe à Pierre, de la tête, et cessa tout mouvement. Elle dit à voix basse :

— C'est intéressant, une mouche ; tu ne

trouves pas ? As-tu déjà entendu quelqu'un dire qu'il aime les mouches ? Personne. Ils voient une mouche, pouah, ils tapent dessus. Ils les tuent comme des mouches.

« Salut, mouche », dit-elle dans un souffle, en gardant une telle immobilité que la mouche ne bougeait pas. Puis l'insecte se mit à se promener sur le bras de Marie qui frissonna, et éclata de rire. La mouche s'était envolée. « Tu me chatouillais, idiote », dit Marie. Et à Pierre : « Elle aurait bien pu rester là, si elle avait su se tenir tranquille ! Mais c'est une pauvre mouche bête, et c'est pour ça que je l'aime...

« Il y a des choses comme ça, tu vois : les serpents, les crapauds, les mouches, tout le monde leur en veut. Ils doivent être tristes tout le temps, eux, c'est affreux. Alors moi, je déteste ceux qui les détestent. Voilà. Ils peuvent bien crever. »

L'immobilité des feuilles, près d'eux, était complète : c'était du métal. Au loin, de grands pans de forêt engloutis dans la lumière n'apparaissaient plus que comme de vagues massifs cendrés, sans contour précis, formes floues presque transparentes que la chaleur recouvrait de viscosités luisantes. D'énormes

feuilles de rhubarbe, froissées sur le sol, brunissaient avec une odeur de fiente.

Pierre dit : « Moi, les serpents, je les
connais bien, et je n'en ai jamais tué un, tu
sais ?

— Oh, toi... Bien sûr », dit Marie.

Lentement, ils prirent le chemin du retour.
Près du Cap, avant de le quitter, Marie donna
presque toutes les myrtilles à Pierre :
« Mange-les, je t'assure, c'est bon. Moi, j'en
rapporte un peu, pour eux, j'en suis bourrée. » Il la regarda s'en aller vers le chemin de
gravier comme une silhouette sombre entou-
rée des mouvances fleuries de la savane.
C'était l'heure mauve du soleil perdu.

XII

Les jours suivants, à la Baie, il apparut de nouveaux signes.

L'eau fraîchissait, même aux marées hautes ; nul ne s'y baignait plus, et des algues mortes flottaient en filandres entre les houles ; les mouettes accroupies se laissaient bercer doucement, comme abêties par la fraîcheur. Au creux des rochers, l'herbe que le sel avait desséchée ne reverdissait pas. Il faisait encore chaud, le jour, mais dès le soir on frissonnait, et les maisons du Cap allumaient leurs lumières de bonne heure.

Les campeurs, peu à peu, s'effritaient ;

chaque matin, on en voyait partir : une tente s'abattait, une caravane s'en allait. Pierre coupait du bois, de l'aube jusqu'à midi, avant d'aller rejoindre Marie au trou de la source. Un matin, dans le Golfe, il vit le dernier cormoran. Je suis sûr que c'était le dernier. L'oiseau verdâtre, presque noir, se faisait sécher sur un rocher, toutes ailes déployées à la brise. Sa tête dressée, immobile, pointait au ciel un bec crochu. Finalement, il se leva, pataugeant dans ses plumes, s'envola au ras des vagues, devint léger soudain et se mit à ramer vers l'est, vers la pleine mer. Je suis sûr que c'était le dernier.

Peu à peu, les couleurs se ravivaient. Comme si la chaleur n'avait été qu'une onde molle jetée sur la Baie, dont elle avait estompé les richesses sous un voile uniforme de lumière, dès que le soleil s'adoucit reparurent les tons exacts des choses : la mer striée de courants verts et bruns, les battures hérissées de rochers où s'allumaient les moindres lichens rouges, les sables rosâtres piqués de minuscules valves de moules, scintillantes de mauve ; les rivages foisonnants de feuillages mêlés, percés par les aigrettes noires des hautes pinèdes, balafrés par les troncs blancs des bouleaux ; les savanes bourrées des dernières fleurs d'août. Tout triomphait, en quelques jours, d'un souvenir accablé : ce pays n'est pas fait pour l'été.

Et Marie, un chandail sur les épaules, dictait :

— *Une rose,* virgule, *des roses.* Point... N'oublie pas la majuscule maintenant : *la cerise,* virgule, *les cerises.* Point... *Un chou,* virgule, *des choux.* Point. (C'est ça, avec un *x*...) *Les fraises sont mûres,* avec l'accent sur le *û*... Point. Voilà.

« Tu as compris le pluriel, oui ? Alors, on a fini », dit-elle.

Elle était à l'avant-dernière page du livre de lecture. Elle suivait le travail de Pierre, sur le cahier qu'il tenait, et regardait le texte de la dictée.

Il n'y avait pas de faute. L'écriture de Pierre s'était bien perfectionnée. Marie prit le cahier, elle alla au début, elle sourit de voir les premières lettres, maladroites, énormes aussi, comparées à celles des derniers jours.

Elle tourna la page du livre. Elle dit :

— Ils ont mis, à la fin, un alphabet complet, pour qu'on puisse le repasser en entier. Regarde, tu vois ? Lis.

Pierre lut toutes les lettres. Le livre, cette fois, était bien fini. Marie le posa près d'elle, elle regarda Pierre, et dit :

— Voilà : tu connais toutes les lettres, toutes celles qui existent ! Et tu sais les mélanger entre elles pour faire tous les sons qui existent. Tu t'imagines ! Ce que tu es savant ! Pierre n'en revenait pas. Il essayait de se pénétrer de cette idée, qu'il savait lire et écrire.

Ces derniers jours, il avait su que le moment arrivait, il avait senti que les choses qu'il avait apprises se rapprochaient les unes des autres, la ponctuation, les majuscules, les sons que faisaient les lettres quand on les groupe, le pluriel et le masculin ; que tout cela se rassemblait, s'attachait bien, se répondait et se complétait comme l'herbe et les arbres, la terre le sable et les rochers, la mer, les oiseaux et le ciel ; que tout cela faisait un tout. Il obligeait sa pensée, maintenant, à fixer ce tout qui était une joie nouvelle, une légèreté, un goût violent de sauter, de cabrioler, de crier. Mais la présence de Marie, la clarté de son visage, le rire qu'il lui communiquait et qui venait grossir son propre plaisir, tout se mêlait pour lui disséminer l'esprit. Il se sentait extrêmement compliqué.

Une chaleur lui venait. Je sais lire et écrire ; c'est donc ça. Il se levait. Il esquissait des mouvements de danse. Marie se mit à rire, elle se leva aussi et saisit les mains de Pierre. Elle l'entraîna dans une sorte de ronde à deux, dont elle chantonnait le rythme. Ils tournaient, dans l'étroit réduit que faisait leur repaire. Ils rirent bientôt comme des fous, ivres, complices, amis. Ils s'épuisèrent, butant parfois contre les mottes d'herbe et les cailloux, se rattrapant et se soutenant l'un l'autre. Marie se jeta sur le sol : « Je n'en peux plus ! Ouf ! Dis donc, ce que je suis contente ! » et lui, encore debout, s'appuyait à un rocher, la regardait en soufflant.

Après un moment, elle dit : « Viens près de moi, encore... Assieds-toi. Là, oui... Tu vas prendre ton crayon, et tu vas signer ton nom. Écris ; écris les deux sons : *PI-ERRE.*

« Voilà, c'est bien ça. Pierre. Tu vois ? N'importe qui, dans le monde entier, peut lire ça : Pierre. Tous les hommes du monde connaissent ton nom, en lisant. Ils savent que c'est toi, que c'est de toi qu'il s'agit. Tu n'as pas besoin de parler, c'est écrit : Pierre... C'est toi. »

Il regarda la page du cahier. C'était bien lui. Cela disait bien son nom : Pierre. Une sorte de minuscule sanglot lui vint. Marie croyait peut-être que c'était le reste de son essoufflement ; mais non, elle voyait bien que c'était autre chose. Elle prit la main de Pierre, la porta à ses lèvres, et l'embrassa : « Voilà, dit-elle, c'est ta récompense.

« Évidemment, dit-elle ensuite, si tu savais ton autre nom, je veux dire celui de ton père, tu l'ajouterais. Et là, ce serait vraiment toi. Toi tout seul...

— Est-ce que tu vas partir, maintenant ? dit Pierre.

— Non, pas encore ! Quelle idée ! Je t'ai expliqué, on s'en va au milieu de septembre. N'y pense pas. On a encore des choses à apprendre, tu n'as pas fini. On va commencer un autre livre, tout de suite, tiens ! Il faut s'entraîner... Le nom de ton père, il est peut-être dans ces articles de journal, dans cette enveloppe dont tu m'as parlé. Non ? Pourquoi tu ne me l'as jamais apportée ?

— Je ne sais pas. Il disait : « Mon nom ? » C'est aussi stupide que Sang-de-phoque. »

— Ça ne fait rien. Si tu veux le savoir, maintenant, tu n'auras qu'à lire toi-même. Voilà.

— Le milieu de septembre, c'est bientôt.

— Tu m'embêtes, dit Marie ; je le sais bien !

— Hier soir, j'ai regardé le livre. Alors j'ai bien vu, qu'il était presque fini.

— Tu le savais, hier soir, hein, qu'on finirait aujourd'hui ?

— Et j'ai vu passer les fous-de-Bassan, aussi...

— Ce sont les oiseaux du nord ?

— Oui, dit Pierre. Ils s'en vont tous les automnes, vers le sud. C'est comme toi. Alors, je ne savais pas quoi faire ; j'étais triste, et j'ai pensé longtemps, avant de m'endormir ». J'aurais pu l'ouvrir, cette enveloppe de mon père, ce soir-là... Je pensais que je pourrais lire les articles de journal, même si je sautais plusieurs mots. Mais je ne l'ai pas fait. J'attendais. J'étais couché, et je pensais aux oiseaux, et à Marie. Quand Marie serait partie, alors j'ouvrirais l'enveloppe. Pour voir, comme elle disait.

— Et ce matin, dit Pierre, il n'y avait plus un seul pétrel, sur la petite falaise, derrière la cabane. Tu sais, les pétrels s'en vont la nuit, personne ne s'en aperçoit ; et le matin, c'est fini : les goélands, et les furets aussi, viennent voir les galeries des pétrels ; elles sont vides. Ils sont partis.

— Ils s'en vont tous dans un pays chaud, tiens! Pas fous, eux! Et toi, tu restes par ici; je ne sais pas comment tu fais! Je vais être inquiète.

— Pas tous, dit Pierre. Il y en a qui montent au nord, sur la terre de ma mère Nod.

— Ah.

— Mais ils reviennent. Ils reviennent tous. Au printemps.

— Et alors! Moi aussi, je reviendrai. Je t'ai dit, tu n'as qu'à attendre; et en prenant bien soin de toi. Et en travaillant beaucoup. Pour savoir lire, terrible! Aussi bien que moi! Voilà.

— Oui, dit Pierre, doucement.

Il était accroupi, près de Marie. Il sentait le frais de l'air, qui s'insinuait en petits courants aigus entre les fougères et qui l'atteignait aux chevilles, aux mains, au cou. Par terre, il voyait quelques feuilles de tremble, déjà jaunies. Une mouette s'acharnait à crier, quelque part au bas des rochers.

Il dit :

— Mais peut-être que l'année prochaine, ils ne voudront pas revenir à la Baie.

— Les oiseaux?

— Tes parents.

— Tout le monde quitte la ville, en été. Alors, eux aussi ; tu peux être sûr !

— Je vais guetter le printemps, dit Pierre. Tous les jours, je viendrai ici, pour voir si tu es arrivée. Mais peut-être que l'année prochaine, tu vas oublier de venir.

— Qu'est-ce qui te prend ? L'année prochaine ? moi aussi je vais attendre le printemps ! Et le premier jour qu'on arrive, paf ! me voilà : je viendrai tout de suite te prévenir, à la cabane. Et je t'apporterai un tas de choses : je vais en mettre de côté pour toi, tout l'hiver : des tas de choses, je te dis.

Marie, assise, se serrait dans le chandail qui lui couvrait les épaules. Elle essayait de fermer un bouton, mais, les bras emprisonnés sous la laine, elle n'y parvenait pas. Pierre avança la main, et l'aida. Il dit :

— Je vais trouver un chien. Et aussi un chat. Pour toi.

— Où ça ?

— Il y a des fermes, sur la route du village. Des fois, j'ai vu des chiots, et des chats aussi : ils étaient perdus.

— Et tu ne les avais pas pris ?

— Non.

— C'est affreux ! Tu les as laissés mourir ? De faim, de froid ?

— Oui. J'étais méchant.

— Ce n'est pas la question ! Mais quand même : si tu en trouves encore, j'espère que tu vas les ramasser, et les nourrir, et tout !

— Et au printemps, si tu viens, tu les trouves ! Bien beaux, pour toi... Je peux aussi demander au policier : lui, il tue les chiens perdus. Et les chats.

— Ça ne m'étonne pas. Mais tu fais attention : tu ne lui dis rien. Tu ne parles pas de moi. Sinon, il m'empêche de te voir : il raconte tout, pour faire le malin ; et eux, ils m'empêchent. Tu comprends ?

— Quand il est venu, l'autre jour, je n'ai rien dit.

— Parce qu'il est revenu ?

— Oui. Pour un esturgeon.

— Pour mettre son nez, oui ! Et alors ?

— Elle est venue souvent ici, la petite ? C'est ce qu'il a dit. Alors moi : quelle petite ? — Fais pas l'innocent : la petite orpheline.

— Je le déteste.

— Mais lui, il a dit qu'il t'aimait bien. Je l'aurais bien ramassée, moi. C'est ce qu'il a dit.

— Ah.

— Les esturgeons, cet été, ils ont peur. Je n'en ai pas vu un seul. Mais j'ai deux plies, deux belles. Il les a prises... Je te les donne, c'est ce que j'ai dit. Alors, rien. Il n'a plus parlé de toi. Et les livres, je les mets sous mon lit. Il n'a rien vu.

— Voilà, dit Marie... Eh bien, tu es malin, toi !

— Et je dirai que les chiens, et les chats, c'est pour moi.

— Bien !

— C'est long, tout l'hiver, dit Pierre.

Il regarda Marie, qui ne répondait pas. Il aperçut, dans ses yeux, un égarement : ils se détournaient. Et les lèvres de Marie étaient serrées, très fines, minuscules, elles donnaient à son visage une petite moue, comme le museau d'un raton-laveur quand il avale de la nourriture, au bord de la rivière. Est-ce que Marie avait dans l'idée de se mettre à pleurer ?

Après un moment de silence, Pierre dit :

— Si tu veux, je te raconte le caplan. Elle ne répondait toujours pas. Mais elle tourna les yeux vers lui. Il continua : « C'est au printemps que ça se passe. Quand tu vas revenir.

— C'est quoi ? dit Marie.

— C'est un poisson. Quand la glace est partie, il y a des battures, et des grèves aussi, où l'eau monte vite, aux marées. Alors les poissons viennent voir. Ils sont très rapides. Ils sont très contents, ils deviennent fous. Ils nagent vite, ils se jettent vers la terre : ils sortent de l'eau, tous ensemble, et tombent sur la grève, sur les rochers, partout. Ils sautent dans toutes les directions, il y en a qui retombent dans l'eau, mais tu peux en ramasser autant que tu veux, par terre. On appelle ça le caplan. Avec le caplan, c'est là que tout commence.

— Pauvres poissons, dit Marie.

— C'est parce qu'ils sont heureux. C'est au printemps.

— C'est long, tout l'hiver », dit Marie.

Plus tard, ce même jour, avant qu'ils se quittent, Marie lui avait dit : « Tous les livres que j'ai, je vais te les apporter. Je commence demain. J'en prends trois ou quatre, je les mets dans mon sac, ni vu ni connu. Et chaque jour, pareil.

— Ils vont s'en apercevoir, avait dit Pierre.

— Bon, je ferai attention. Peut-être qu'il

va croire que c'est elle qui les a jetés. Peut-être que je vais en laisser quelques-uns. Je vais m'arranger, tu verras ». Et Marie s'en était allée, avec un grand signe du bras. Ensuite, sa main lui avait envoyé un baiser. Je me suis retourné, je suis parti par les rochers, puis par le sentier, sous les pins. Près d'une souche à demi déterrée, j'ai vu une cache, qui sentait le poil de renard : oui, c'est l'automne bien proche.

Près de la cabane, Pierre s'adossa au rocher. Il regardait le Golfe.

Le soleil baissait, et de longues traînées de nuages se superposaient, en rangs de plus en plus serrés, sur l'horizon de l'eau. Les couleurs flambaient, de tous les tons d'orange et de rouge, en strates. La mer était turquoise, au large, et presque noire aux pieds de Pierre, qui rêvait. Je sais lire ; et je connais Marie. Avant elle, je ne connaissais personne. Tous ceux que j'ai vus, ils étaient comme ceux dont j'entends la voix, à la radio : des inconnus. Tandis que Marie ! Comment ai-je pu passer tout ce temps, toutes ces années, sans même savoir qu'elle vivait, quelque part, avec eux... Je n'en savais rien.

Et maintenant : « Je reviendrai », c'est ce

qu'elle a dit... Un ourson soulève une pierre, pour manger les fourmis qui sont dessous : quand il a fini, il replace la pierre : pour que les fourmis reviennent. L'année prochaine ?

Puis le soleil soudain commença de glisser derrière les nuages. Pierre se dit qu'il ferait beau, demain. Au ciel, le blanc des mouettes planantes se teintait de rose.

XIII

Lorsque le soleil baissait, vers la fin de l'après-midi, les hauts sapins commençaient à prendre corps. Leur ombre s'allongeait sur les herbes sèches et les taillis d'épines. Les framboisiers secs, dont les feuillages pleuraient d'or sur l'herbe, brunissaient puis s'effaçaient dans le sombre du crépuscule ; des papillons repliaient leurs ailes au creux des ronceraies, dont les fleurs en même temps baissaient la tête et se fermaient. Les vents se couchaient tôt, si la mer encore était basse, et tout semblait s'immobiliser pour que le jour s'en aille en douceur. Aux marées hautes, le vent du nordet bousculait les trembles qui pliaient sans arrêt, et il faisait craquer les pins de longues plaintes de gorge irritée. Il abattait des vagues, en rangs serrés, contre les rives où pliaient les coudriers. Les corbeaux et les goélands mêlés jaillissaient en embruns du haut des bosquets, au bord de l'eau, à chaque coup de mer, se dispersaient et s'abattaient plus loin, dérangés par les sursauts du Golfe. Lorsque le vent se lassait enfin, les terres et les forêts de la Baie gardaient une humeur marine, une odeur de grand large battu de nuages.

Puis de grands pans de forêt s'arrêtaient de bouger, déjà morceaux de nuit tendus au fond du pays, du côté des montagnes, que commencent à noyer le bleu sombre et le violacé. A l'ouest, le ciel déposait lentement des lies et se décantait en gris perle. Les étoiles au nord se piquaient une à une. A l'est, la nuit fumait déjà.

Le silence durait une heure, tandis que tout disparaissait, pour ensuite émerger en formes blafardes et en silhouettes compliquées. Pierre, couché, écoutait le sous-bois, autour de la cabane. Il le savait : les animaux allaient attendre, longtemps, dans les trous d'arbre, aux ouvertures des terriers, devant les laies ouvertes et les sentiers compliqués, le long de la rivière aux castors, sous les rochers éboulés et dans les fougeraies, que tout fût certain, livré à des dangers connus qui auraient chacun leur parade, à des trouvailles nouvelles, à des plaisirs brefs.

Plus loin, passé le sous-bois attentif, la savane gonflée d'épinaies et de hautes herbes respirait au moindre souffle de nuit, sous le lait de la lune et le passage silencieux des chats-huants. Au bout de ce désert de pénombres mouvantes et de froissements mêlés, l'échine du Cap faisait une masse compacte d'arbres serrés, lancée comme une longue et haute pointe vers le large, où très loin clignotaient les phares et les balises des Iles. De cette énorme proue noire, habitée de feux clairsemés, s'écoulait vers la terre le chemin de gravier, comme un ru bien droit, brillant doucement, à la lune, et qui descendait en pente douce vers la savane.

Marie, sur le chemin, ralentit sa course. Elle s'arrêta et regarda la nuit.

Elle avait probablement couru sans s'arrêter, depuis la maison blanche en feu, jusqu'à l'orée du bois ; et la savane était devant elle.

Elle avait sûrement couru jusque-là, jusqu'à ce qu'elle n'en puisse vraiment plus, et qu'elle arrive à ciel ouvert. Elle haletait.

Elle écouta. Elle avait l'impression d'entendre encore crépiter le brasier. L'odeur de la fumée était là : sur elle, sur ses vêtements peut-être. Elle respirait mieux, sa poitrine se calmait peu à peu. Elle avait l'impression qu'une écharde l'avait blessée, au dos de la main, qu'elle frotta dans l'ombre.

Ses jambes, sans qu'elle y pensât, se remirent en mouvement. Elle s'engagea dans le sentier qui coupait la savane d'une sorte de tranchée malhabile, en méandres indécis contournant les touffes de ciguës et d'armoises, les bosquets de vinaigriers, et parfois un sapin décharné. On y voyait bien. Marie leva les yeux : le ciel était laiteux, d'une énorme aurore boréale, et de la lune aussi, pleine comme une boule de neige sale. Marie avait très chaud, maintenant ; elle s'arrêta, enleva sa robe de chambre, la jeta sur ses épaules, comme un gros foulard torsadé, et reprit sa marche. Son pyjama lui collait au buste et aux cuisses. Elle se mit à trotter ; mais elle ralentit de nouveau, et finalement adopta un pas, moins fatigant, qui lui donnait le temps de regarder, en avant d'elle, sa route hésitante. La cabane de Pierre était encore loin.

Marie se repérait sur les sapins isolés ; ils jetaient leurs chicots hirsutes hors des taillis et des ronciers, elle savait à peu près dans quelle direction apparaîtrait bientôt l'ombre du bois conduisant chez Pierre : là-bas, vers l'est et un peu à gauche, passées les battures dont elle sentait déjà près d'elle l'odeur d'iode et d'herbe humide. Elle allait vite, elle se rapprochait des arbres. Elle était bien sur ce semblant de chemin tant de fois parcouru par Pierre, et peut-être par d'autres : on ne pouvait pas se tromper, pensait-elle. Et le bois était bien là où elle l'attendait : au bout de la trouée. Le bois de Pierre, qu'il suffirait de traverser pour atteindre la cabane.

Ils sont morts, tous les deux, pensa-t-elle soudain ; assommés ou étouffés ; mais ils étaient déjà assommés, quand elle s'était couchée. La pensée la quitta aussi brusquement qu'elle lui était venue. Entre les branches basses, elle cherchait l'ouverture par laquelle on entrait sous-bois. Ensuite, il suffisait de suivre les pas de Pierre : le chemin d'herbe, large à travers les érables, les pins, les trembles, et les gros

troncs blancs des bouleaux qui rayaient
l'ombre. Le silence de la nuit était massif,
noir, comme ce pan de forêt. Aucun cri d'animal, aucun frôlement.

Marie marchait très lentement, au début.
Elle faisait attention ; elle hésitait entre deux
éclaircies parmi les branches, elle scrutait,
elle trouvait, elle avançait. Tout à coup, elle
eut froid, à même un frisson de forêt qui sem-
blait venir de fougères pourries. Elle s'arrêta,
remit sa robe de chambre dont elle attacha le
cordon. Ses yeux s'habituaient très vite, ils
pouvaient reconnaître maintenant, par terre,
les filons de sable clair où l'herbe ne poussait
que rare et qui marquaient bien le passage,
vers la cabane. Elle repartit.

Un corbeau s'échappa d'un sapin, avec un
double cri enveloppé de battements d'ailes.
Marie sourit, comme d'un bon présage : un
repère, qui disait bien qu'on était ici très loin
du Cap, qu'on approchait sans doute du bord
de l'eau, de l'éclaircie. L'odeur de fumée, sur
Marie, s'était dissoute dans le frais ; celle du
feu ne parvenait pas à cet endroit ; pas
encore, peut-être ? Ni l'inquiétude, sans
doute. Les érables s'éclaircissaient. Tout à
coup Marie s'aperçut qu'elle entendait le res-

sac de la mer : la Baie devait être proche. En levant la tête, on pouvait se guider sur la clarté vague du ciel : les arbres s'y détachaient, il suffisait de se diriger vers la trouée la plus dégagée, ce serait l'eau, au plus proche, les rochers, et la cabane.

Elle ne sentait plus aucune fatigue. Ses pas comme sa respiration étaient calmés. La forêt s'ouvrit devant elle. La maison était là, avec son toit lourd et ses bas murs de rondins. Elle cria : « Pierre ! »

— *Pierre !* Il lui semblait entendre la voix de Marie... Elle le regardait, elle riait... Pierre ouvrit les yeux, il sourit à son rêve... Elle disait : *Tu ne rêves pas ? Tu rêves sûrement. Moi, je rêve toutes les nuits...* Il se souvenait, maintenant : il avait rêvé que Marie et lui mangeaient des crevettes, tous deux assis près du poêle ; nous étions enveloppés dans les peaux de loup-marin que ma mère Nod avait cousues pour faire des couvertures... Nous avions chaud, et Marie m'avait tendu ensuite un sandwich avec du pain blanc, du jambon...

— Pierre ! C'est moi ! Marie ! Il sauta du lit, vite, et ouvrit la porte. Elle était là, au milieu du clair de lune. Il fit quelques pas, dehors.

— Le feu à la maison blanche! C'est moi, Pierre! Tout brûle, là-bas!

— Tu es venue jusqu'ici? En pleine nuit? C'est toi?

— Naturellement, qu'est-ce que tu crois!

Il toucha son épaule; elle se serra un peu plus près de lui, elle lui prit le bras, qu'elle secoua : « Viens, viens, dit-elle, il faut y aller! » Il s'éveilla, soudain. Il voyait tout, d'un regard aigu, rapide : le bois, les rochers, le ciel et l'heure qu'il pouvait être, Marie habillée d'une robe de chambre, son visage, ses mains, les souliers de toile qu'elle avait aux pieds. Il se jeta dans la cabane, il mit une veste, il se chaussa.

Elle était debout, sur le seuil. Elle scrutait l'intérieur de la maison. Elle dit : « Attends une minute, laisse-moi regarder. » Il chercha des allumettes. Il alluma une chandelle, et Marie entra. Elle fit le tour de la pièce, puis elle jeta un regard dans le réduit voisin, où il entassait ses réserves. Il la regardait aller, lentement; elle touchait les choses, l'une après l'autre, dans la pénombre du petit jour commençant et la lumière falote de la flamme. Elle s'appuyait au mur, qu'elle caressait ensuite de la main. « C'est beau chez toi, dit-elle ; je me souviendrai de tout. Il faut s'en aller, maintenant. La police est là-bas, et les voisins, et les pompiers ridicules. Ils m'ont tous vue, ils vont me chercher partout. Viens. »

Pierre marchait devant. Il se retournait à chaque instant, lorsque le passage se faisait étroit parmi les arbres, pour voir Marie le suivre. Dès qu'il y avait place, elle le rejoignait, et trottait près de lui. Au bout d'un moment, il dit :

— Oui. Je sens la fumée, un peu. Le vent est bon, il porte jusqu'ici.

— Je lisais dans ma chambre, dit Marie, avant de m'endormir. Heureusement, tu vois : quand j'ai éteint la lumière, j'ai rêvé de ce que j'avais lu ; les aventures de Don Quichotte ; j'aime bien Sancho, je pensais à lui, il est drôle ; alors forcément, je dormais à moitié, quand la fumée m'a tout à fait réveillée.

« Ça entrait par la porte, partout, et ça crépitait derrière, terrible ! J'ai eu peur, j'ai pris vite ma robe de chambre et mes tennis, je suis sortie par la fenêtre. Quand j'ai vu ça ! Je suis restée comme un piquet, à regarder !

« Après, les voisins sont arrivés, ça criait partout. Des fous ! On ne pouvait pas entrer dans la maison, ça fumait trop, tout noir, et ça grillait ! Quelqu'un a dû téléphoner au village, parce que la police et les pompiers sont arrivés. Tout le monde me parlait en même temps : ils sont là ? Ils sont dedans ? Comment ça se fait ? Elle est sortie par la fenêtre ! De toutes façons, on n'a pas d'eau ! As-tu froid ? Elle a froid. J'avais froid. Naturellement ! Je frissonnais aussi parce que j'avais eu peur, tiens ! Prenez des branches, il faut protéger le bois ! Ça peut se communiquer ! Poussez-vous, poussez-vous ! (Ça, c'était la police, ils étaient venus à deux.)

— Attention, dit Pierre, là il y a une source ; il faut sauter. » Il prenait un raccourci, à travers la savane, que Marie ne connaissait pas. Elle le suivait ; elle sauta, et s'agrippa à sa veste. Elle dit :

— Ils étaient tellement affolés que je me suis écartée doucement pendant qu'ils s'agitaient. Je me suis éloignée, et quand j'ai été près du chemin, je me suis sauvée. Avant que ça se complique trop.

« Je pensais à toi. Je me suis mise à courir. Il fallait que je te voie. »

L'odeur, maintenant, aurait pu à elle seule dire l'énormité du désastre. A l'âcreté de la fumée s'ajoutait une seconde sensation : celle d'une humide fragrance, de cette herbe qu'on appelle au Bas-du-Fleuve le *foin d'odeur,* de ce chanvre que parfois fumait Sang-de-phoque et dont Pierre reconnaissait soudain l'arôme, du fond de son enfance. Puis la vague odorante s'effaçait, pour ne laisser plus persister que le goût sale du bois brûlé. Ils arrivaient au bout de la savane. Dès qu'ils furent au chemin, sur les gravillons, la lueur les guida : le ciel mauve du feu, au loin, derrière les têtes décharnées des hautes épinettes.

Une voiture approchait, venant du village, derrière eux. Ils se jetèrent dans le fossé pour ne pas être vus, elle passa. Ils se relevèrent, et se mirent à suivre le bas-côté. Le feu apparut, entre les arbres. Des flammes, au ras du sol, qui se mouraient déjà. Des craquements, des voix. Et les coups qu'on frappait en cadence, avec des branchages sans doute. Sans se consulter, ils entrèrent un peu sous le bois. De cette façon, on ne les vit pas arriver. Ils s'arrêtèrent à quelques pas en retrait d'un groupe : les voisins, qui admiraient le désastre.

Et Marie se mit à murmurer, soudain :

— Je ne peux pas rester avec toi, Pierre. Tu comprends pourquoi ? Ils m'ont tous vue, dehors. C'est bête. J'aurais dû courir vite à l'abri au bord de l'eau, en bas ; ou encore sous les arbres, et ensuite venir te trouver, sans rien dire. On aurait cru que j'étais morte. Terrible !

« Mais ils m'ont vue. Comme ils disaient : la petite n'a pas brûlé, c'est un miracle. Alors, si je disparais, ils vont me chercher partout. Et la première chose que la police va faire, tiens, c'est aller chez toi. Crac, en prison, comme dit l'imbécile. Et moi, ils vont me ramener en ville, de toute façon.

— Où ? dit Pierre, tout bas.

— Ah ça ! Je ne sais pas ; mais je sais bien ce qu'ils vont faire. Ils ont des pensions, des écoles, des collèges ; pas pires que c'était chez eux... J'ai même l'impression que je vais être très tranquille ; ils n'ont pas le temps d'embêter tout le monde. N'aie pas peur, je vais m'arranger.

— Et moi ?

— Chut !... Tu sais tout ce qu'il faut savoir, pour continuer tout seul, et devenir savant-savant. Je te le dis. Regarde cet idiot : c'est l'ancien capitaine de bateau, il essaie de se rapprocher du feu, il va finir par recevoir une escarbille...

« Voilà le policier qui le repousse dit-elle ensuite. Qu'est-ce qu'ils attendent, tous ? C'est bien la peine d'être pompiers, et de s'habiller en cirés noirs, et de se mettre des casques... C'est ridicule ! Tout ce qu'ils ont fait : taper sur les buissons, avec des branches ! Des pompiers sans eau ! On aurait pu brancher un tuyau sur la maison voisine. Mais leur pompe n'aurait pas suffi. »

Pierre regarda Marie, elle pleurait. Ses sanglots se passaient entre son nez et sa gorge, on ne les entendait presque pas, mais ils soulevaient ses épaules et sa poitrine, en à-coups minuscules. Elle essuyait ses yeux de la main. Elle sourit misérablement à Pierre, et dit : « Pourquoi pleurer, non ? C'est bête, je sais ; ils sont en dessous, tous les deux. Ils ne se sont aperçus de rien... Ils étaient saouls morts. Ils ont dû être assommés, ou étouffés. Ils étaient méchants, et moi je pleure. »

Pierre ne disait rien. Il voulait prendre la main de Marie, mais il avait peur. Elle dit aussi, un peu plus tard : « Quand j'avais été malade au lit, je me souviens, elle m'avait donné un jus de fruit avec des remèdes dedans. C'est la fois où elle avait été si gentille. A travers la fièvre, j'ai pensé que je l'aimais. Ce que j'étais bien, Pierre !

— Ne pleure pas, dit-il, arrête. Quand tu pleures, je deviens nerveux. Je ne peux plus bouger.

— C'est fini, c'est fini, dit Marie », et elle se racla la gorge. Des gens se retournèrent, on les vit tous deux. On se rapprocha. Une femme dit : « La pauvre petite ! La voilà orpheline... Sergent ! cria-t-elle, elle est là ! la voilà ! » Le policier s'approchait. Il dit :

— Te voilà, où étais-tu passée ? ... Bon, écoute donc, tu vas venir avec moi, maintenant. Inutile de rester jusquà la fin. Ça n'aura rien de drôle. As-tu froid ?

— Et où on va ? dit Marie. Pour voir...

— Ouais, je vais t'emmener au village, à la Baie, pour que tu passes le reste de la nuit chez quelqu'un. Je vais demander des instructions. Demain, on verra, pour te conduire en ville, chez toi.

— Chez moi, c'est chez eux ; il n'y aura personne.

— Pauvre petite, dit la femme.

— Écoute, dit le policier, on verra ! Pour le moment, arrive par ici, monte dans l'auto,

tu dois être fatiguée. Et ne t'en fais pas...
Tiens, dit-il en se retournant, tu es là, toi,
le Rouge ? Manquait plus que toi. Va donc
les aider, eux autres ! Il cria aux pompiers
et aux jeunes qui s'affairaient autour de
l'énorme tas rougeoyant : Eh ! Vous me sor-
tirez les deux corps dès que vous pourrez.
Je vais revenir, avec du monde, occupez-vous
de ça !... Toi, dit-il au jeune policier qui s'approchait, tu restes jusqu'à mon retour.

Marie se jeta au cou de Pierre. Elle lui
donna un baiser, puis la bouche près de son
oreille, elle dit : « Je reviendrai. Mais ne dis
rien, jamais, à personne. Jamais, jamais,
jamais.

— Arrive, la petite », dit le policier.

XIV

Le lendemain et les jours suivants, la chaleur se mit encore à décroître. Au vent du nordet les feuilles des trembles fuyaient au ras de terre. Les pins noirs craquaient de toutes leurs fibres, et leurs cônes se balançaient, très haut, dans les tourbillons.

De la savane venaient des odeurs mêlées : le piquant des oignons sauvages, secs déjà, et le parfum lourd des renoncules rouges, portés par l'humidité des vases qu'on sentait jusqu'à la cabane, avec la fraîcheur du soir.

Ensuite, il y eut des pluies, incessantes, mornes. Elles étalaient sur tout le pays le bruit de la mer endormie. Parfois des rafales s'enflaient, et des rideaux de grosses gouttes tombaient, serrés, puis s'éloignaient. Les éclairs lointains d'un orage sur le Golfe allumaient des ramures lactées. Les bruits du tonnerre, mous, diffus, roulaient faiblement. A la chute du jour, une lueur rosâtre envahissait la Baie. Le lendemain, la mer bougeait en surface, sans vagues mais de très faible houle qui charriait de longues traînées de mousse parmi les goélands et les canards.

Pierre regardait le Golfe.

A l'extrémité de l'Amérique, face au large du nord, derrière lequel il y a la terre de ma mère Nod, la terre qui ne finit jamais, la Baie-des-Épaulards va se taire, peu à peu. Il n'y aura personne, soudain, que Pierre, et tout redeviendra ce qu'il est.

Au Golfe, un orque égaré se hâtera de descendre le courant, avec la marée, à grandes vagues de son dos noir, à longues glissades entre deux eaux, vers le large. Autour de lui les marsouins s'écartent et suivent ensuite son sillage. Ils n'ont pas peur, eux.

Au ciel, des outardes filent, en V, majuscule, comme pour écrire le vent qui les pousse en ligne droite, vers le sud ; où est Marie ?

Les forêts éclaircies ne seront plus que des troncs nus, droits, secs, sortant des feuilles tombées, mêlées de la première neige et des fougères rouillées. Les pas les plus ténus y craquent, les cris des corbeaux s'y répondent en échos. Parfois, le pas lourd d'un chevreuil ou d'un orignal, dont Pierre suivra, de loin, la marche jusqu'au bord de la rivière. Il s'arrête pour boire ; il guette, il écoute ; il traverse, les rapides lui viennent au poitrail.

Le soir, les vents. Un scillement continu que grossissent des secousses soudaines, et qui se module durant des heures autour des branches, entêtant.

Les nuits d'automne, on entendra hurler un coyote. Et le glissement des martres et des belettes, avant qu'elles se cachent pour se réchauffer, ou dormir. Où seras-tu, Marie ?

Puis le gel. Le Golfe empli de banquises, qui encombrent d'abord les battures, puis se coulent et se calent entre les roches blanchies de grésil. Il neigera, là-dessus, encore, des jours, une semaine, et le vent recommencera ses sifflements. Des glaces partout, ensuite, et le frasil. Des crevasses emplies d'eaux verdâtres, des arbres morts que charrient les mouvements de la mer. Marée, marée, tu recommences toujours ; tu glisses sous la glace et tu la soulèves ; elle craque, je l'entends toute la nuit, pendant que les goélands affamés fouillent les nids vides des pétrels ; toi, le vent, tu pousses les poudres de neige dans tous les sens ; tu dénudes tout ce que tu trouves de solide, des troncs cassés, des rochers, des pierres de glace vive ; et les poudres de neige se calent contre un autre obstacle ; tu t'arrêtes, vent, et la neige s'écrase de nouveau pendant huit jours ; alors tu reviens, tu la soulèves encore, tu la brasses, tu l'étires en courants sinueux, tu hurles et tu pleures toute la nuit ; le jour, la marée s'en va, elle se retire sous les banquises, elle fuit et les glaces s'amollissent, elles s'enfoncent, elles retombent lentement, elles repartent au fil du courant, elles tournoient, elles se collent l'une à l'autre ; le Golfe se fige, ici ou là, devant les estuaires, autour des îlots où brillent les balises et les phares : quelques heures, quelques jours ; il recommencera bientôt à bouger ; n'importe quand, on ne sait pas.

Les loups-marins, les barbus, les grosses vaches, les gris, tous les phoques sortent de l'eau et viennent se reposer sur les glaces.

Ils crient, ils se traînent et se frottent au soleil, ils glissent et plongent, et mangent tout ce qu'ils peuvent. Les loches et les morues s'affolent, elles s'approchent de la terre, avec les harengs. Je ferai un trou dans la glace, et j'en prendrai tant que je voudrai, avec le fil et l'hameçon.

Pierre songeait. Il avait dit à Marie : « Une année, les loups ont traversé ; Ils sont descendus de l'autre rive, j'en suis sûr. Ils ont passé, j'ai vu leurs traces : ils étaient sept. Je traverse bien, moi. Pas souvent. »

Si je traverse, j'irai chercher peut-être du vison et de la loutre, aux Iles, comme mon père ; Marie, ne me regarde pas chasser ; laisse-moi ; les Iles-aux-Ours seront toutes blanches, mais dessous : toutes vertes, sous le toit de neige. Il y aura des martres, des lièvres blancs, avec une odeur de feuilles pourries ; tu ne seras pas là, Marie, ne me regarde pas ; les goélands nichés au bord de la falaise se lèveront en colère dès que j'approcherai.

Peut-être que je n'irai pas ; si je trouve un vison encore vivant, un matin, au piège, un vison pas tout à fait étranglé, je le prendrai avec mes mains, en faisant bien attention, et je le laisserai s'enfuir ; peut-être... A toute vitesse il glissera sous les croûtes de neige qui couvrent les buissons morts de l'an dernier ; parce que tu disais : « C'est si beau un vison vivant, j'en ai vu deux dans une cage : horrible, voilà » ; elle disait toujours voilà ; il ira mourir plus loin, le vison blessé, c'est un glouton qui finira de le tuer, peut-être ; loin de tes yeux, Marie.

Avec le bout de son épieu, Pierre écrirait sur la neige, au soleil, le nom de MARIE. Sur la neige des Iles, sur la neige du Golfe, sur la neige des forêts. Et aussi, en lettres bien moulées, sur des pages de cahier. Bien des fois, se souvenant de ce qu'elle avait dit, il aurait l'idée d'écrire son nom. Ainsi, le lisant, ce serait comme si Marie était près de moi, dans la cabane ; ou dehors, sur la neige.

Il irait sous-bois, le matin. Jusqu'à la rivière gelée. Jusqu'à la savane bourrée de dunes blanches, la savane fermée, interdite. Jusqu'à la grève où l'été s'installaient les campeurs. Il ferait le tour de son domaine d'hiver, que l'hiver rétrécirait peu à peu jusqu'en mars, et qui lentement s'agrandirait ensuite. Alors, il entendrait une voix crier, et le bruit d'un moteur : ce serait la première visite du Voyageur.

Je trouverai peut-être des sorties de castor, sur la glace ; elles fument l'odeur de la cache, **dessous, l'odeur de poil chaud et de fiente** ; je verrai les trous des écureuils et des martres ; je crois que je ne toucherai à rien ; je ne sais pas pourquoi ; il faudra que je lise, beaucoup, pour savoir tout ce que tu sais, Marie ; j'achèterai d'autres livres, au Voyageur.

J'apprendrai pourquoi je suis ici, et ce que j'y fais ; je comprendrai tout ; je penserai à Marie, aussi, Marie qui est partie et qui reviendra, une année, au moment où commencent à fleurir les iris des sables, bleus, au pied des blés d'eau ; je guetterai la première de leurs fleurs au bout de la première tige : pointue, les pétales encore enroulés, qui bleuissent lentement. Et je saurai pourquoi Marie pleurait.

Je penserai à Marie, et au bonheur si elle était là ; je la verrais chaque jour, elle serait peut-être fâchée, peut-être souriante ; elle serait avec moi, et chaque chose que je ferais, elle la verrait ; je l'emmènerais aux Iles, si elle voulait, et même de l'autre côté, au pays qui ne finit jamais ; elle n'aurait pas peur, elle voulait y aller. Je la tiendrais par la main, jusqu'à ce jour où la glace s'enfoncerait sous nos pas : mais je tiendrais la main de Marie ; *voilà* ; comme elle dit toujours.

J'attendrai. Cela aussi, Marie l'avait dit, une fois. Pierre cherchait en vain à quel moment. Il trouverait, un jour sans doute, alors qu'il serait en train de couper du bois, ou de fabriquer quelque chose ; ou en mangeant. Ou encore en lisant quelques-uns de ses livres, ou le dictionnaire. Je pourrai lire n'importe quoi ; je sais lire ; même, assez vite ; chaque jour plus vite, comprenant chaque jour mieux comment les mots s'attachent les uns aux autres, en phrases qui disent ce qu'elles disent, mais davantage : on entend autre chose, en elles, que leur voix : tout comme lorsque Marie parlait, et que j'écoutais.

Il savait écrire, maintenant. C'est-à-dire qu'il savait les gestes, tous les gestes, pour faire parler des mots sur le papier. On écrit lentement, c'est bien plus lent que la lecture ; mais chaque jour plus vite, aussi ; et, changeant les mots de place, je peux changer le sens des mots ; à quoi sert d'écrire ? Je ne sais pas, mais à quelque chose : les livres sont écrits. A quoi sert de lire ? Je ne sais pas ; j'ai lu les articles de journal que mon père gardait dans cette enveloppe ; j'ai su comment s'appelait mon père ; j'ai su ce qu'il était : un assassin ; tout est écrit ; il faut savoir lire, voilà, disait Marie.

Maintenant, il n'y aura plus de surprise. J'irai sous l'ombre humide des érablières. Il y aura des traces partout. Quand l'hiver se fatiguera, lent, attentif aux premiers souffles tièdes, insolites comme des souvenirs brefs, alors je m'exercerai à écrire. Un matin je saurai, par l'odeur sucrée des pousses de coudrier, que le Cap s'est réveillé. En m'approchant, j'entendrai des voix. J'avancerai, le long du chemin, et la maison aux volets verts sera déjà habitée.

Je marcherai jusqu'au bout du Cap, là où était la maison blanche ; seulement pour voir ce que l'armoise et le bois d'orignal auront fait pour cacher les cendres et les décombres bouleversés par le gel.

Après, j'irai dans la clairière. Un rocher sera gravé de quelques lettres, les miennes, et de deux autres : son écriture. Avec trois pattes. Je sourirai.

Je passerai par le trou de la source. Il faudra

nettoyer. Je reviendrai chez moi, ensuite. Je lirai, j'effacerai, j'écrirai encore ; peut-être un livre, un jour ? Un pas s'approche par le sentier, je l'entends bien. Je me lève et j'ouvre la porte.